KB076929

히브리어 쓰기성경

- 다 니 엘 -

언약성경연구소

케타브 프로젝트: 히브리어 쓰기성경 – 다니엘

발 행 | 2024년 1월 20일
저 자 | 이학재
발행인 | 최현기
편집 · 디자인 | 허동보

등록번호 | 제399-2010-000013호
발행처 | 홀리북클럽
주 소 | 경기도 남양주시 진접읍 내각2로12 (070-4126-3496)

ISBN | 979-11-6107-043-8
가 격 | 22,800원

כתב Project

히브리어쓰기성경

영·한·히브리어
대역대조 쓰기성경

언약성경연구소

* 본 책에는맛싸성경(한글), 개역한글(한글), WLC(히브리어), NET(영어) 성경 역본이 사용되었으며,
KoPub 바탕체, KoPub 돋움체, Frank Ruhl Libre, 세방체 폰트가 사용되었습니다.
히브리어 알파벳표, 모음표, 알파벳송 악보는 『왕초보 히브리어 펜습자』(허동보 저) 저자의 동의를 받고 첨부하였습니다.
맛싸성경3은 저자 이학재 교수가 원문성경에서 직접 번역한 번역물로 번역 저작물이 저작권협회에 접수된 개인번역입니다.

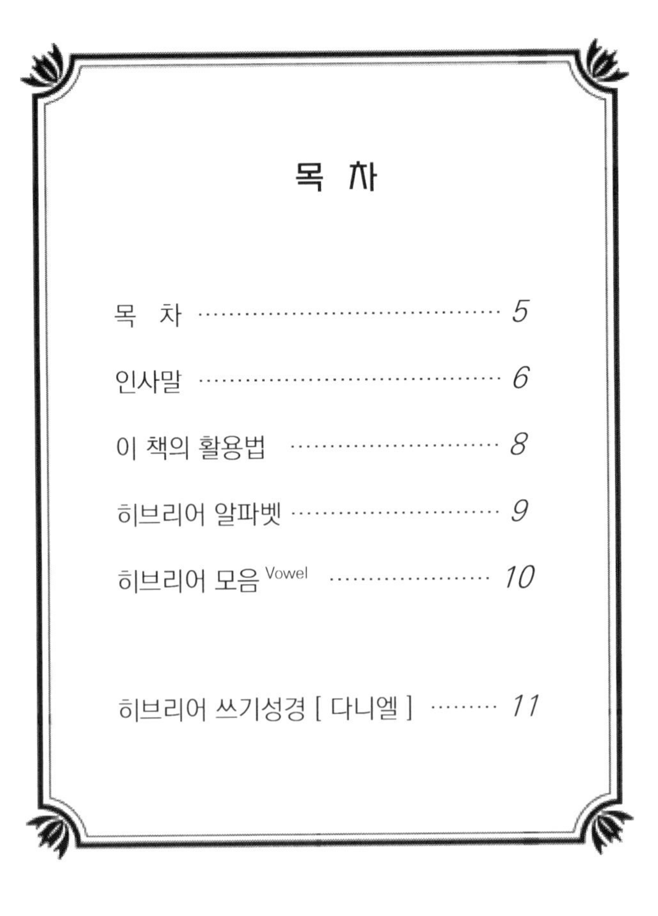

목 차

다니엘서는 다니엘과 그의 친구들인 하나냐, 미사엘, 아사랴가 등장합니다. 이 책은 성경의 예언서 중 하나로, 예수 그리스도께서 오실 때까지의 미래와 하나님의 계획에 대한 예언을 다룹니다. 또한, 예수 그리스도와 관련된 중요한 책 중 하나입니다. 이 책은 미래의 역사, 예언, 신앙, 인내, 회개, 기도, 하나님의 은혜에 대한 중요한 교훈을 제공합니다.

이학재 Lee Hakjae · Covenant University 부총장
· 월간 맛싸 대표 · 맛싸성경 번역자 · 언약성경협회장

성경은 말씀으로 읽고 소리내서 낭독하는 훈련이 필요하다. 또한 성경은 precept, 즉 글로 적은 글이다. 십계명도 하나님께서 적어 주신 것이고 구약성경, 신약성경 모두다 사람들이 손으로 필사하여 전해온 것이다. 특히 시편에서는 하나님의 말씀을 '호크'[규례, 교훈]라고 부르는데 이것은 '하카크' 즉 '새기다, 기록하다'는 의미이다. 성경은 1455년에 라틴어를 출간하기까지 구약은 서기관들에 의해서 두루마리에 필사를 통해서 기록되었고 신약 역시 대문자, 소문자 등을 통해서 손으로 직접 적었다.

이같은 성경은 소리내 읽는 '낭독'과 글로 적는 '호크'[precept]로 기록된 말씀이다. 물론 타자를 치는 필사를 비롯하여 다양한 방법이 있지만, 특히 AI 시대에는 주관성과 개인의 특성을 가진 영성이 품어 나오는 적기 성경 즉 '필사 성경'이 필요하다. 시중에 한글 필사성경, 영어 등은 이미 출판되어 있지만 원문 필사는 아직 나오지 않았다. 원문 필사를 위해서는 원문만 넣을 것이 아니라 한글의 공적성경[개역, 개역개정]과 또한 사역이지만 원문에서 번역한 것이 필요한데 이런 면에서 '맛싸 성경'은 중요한 역할을 할 것이다. 아울러 영역본도 함께 제공되어 원문과 함께 번역본들을 보게 되고 자신의 필사 성경도 각권으로 남게 될 것이다.

성경을 적는다는 것은 참으로 중요하다. 기도하면서 성경에서도 달려가면서도 성경을 읽게 하라는 말씀은 성경에도 기록되어 있다[하박국 2장]. 많은 사람들이 성경을 덮어두거나, '말아 놓았다'. 이제는 적어서 펼쳐 놓아야 한다. 이런 면에서 족자, 액자들 성경 원문 쓰기를 통해서 원문을 보고 묵상하고 더욱 말씀을 가시적으로 보며 그 말씀의 생명력을 가지는 삶을 살아야 할 것이다. 이 모든 것이 '적는 것'[כתב 케타브]에서 시작된다. 이 시리즈는 구약 전권 신약 전권의 '쓰기', '적기'를 출간하는 것으로 생각하고 있다. 매일 일정한 양을 쓰면서 원문을 자유롭게 이해하고 원문의 바른 의미, 성경의 의미를 바르게 이해해서 말씀에 근거를 둔 그러한 건강한 말씀 중심의 삶을 살아가시기를 소원한다.

저자 이 학 재

허동보 Huh Dongbo · 수현교회 담임목사 · Covenant University 통합과정 중
· 왕초보 히브리어/헬라어 펜습자 저자

교회 역사는 대부분 이단으로부터 교회를 보호하는 역사였습니다. 사도들과 교부들의 가르침, 공의회를 통한 결정들은 우리 신앙의 선배들이 이단으로부터 교회를 지키고자 목숨까지 걸었던 몸부림이라고 해도 과언이 아닙니다. 그 신념, 그 몸부림의 근거는 바로 성경이었습니다. 하나님의 말씀이자 우리 신앙생활의 원천인 성경은 수천년이 지난 이 시대를 살아가는 우리가 쉽게 읽을 수 있도록 전문가들을 통해 비교적 잘 번역되어 있습니다. 그럼에도 불구하고 말씀을 사랑하고 매일 묵상하는 우리 그리스도인들이 히브리어와 헬라어를 배워야 하는 까닭은 무엇일까요?

첫째로 지금도 교회를 노리고 핍박하는 이들로부터 주님의 몸 된 교회를 지키기 위해서입니다. 아무리 번역이 잘 되었다고 하더라도 해당 언어가 가진 고유의 뉘앙스와 의미를 동일하게 전달하는 것은 불가능합니다. 따라서 우리는 원전을 살펴봄으로써 말씀에 대한 왜곡과 오해를 헤쳐 나가야 합니다. 둘째로 언어의 한계성 때문입니다. 성경이 쓰여지던 시기의 사회적 배경과 문학적 장치들을 더 잘 전달받기 위해서 우리는 히브리어와 헬라어를 배워야 합니다. 우리는 해당 언어를 통해 한글성경에서 느끼기 힘든 시적 운율과 다양한 의미들을 더욱 세밀하게 들여다볼 수 있으며, 이 과정에서 더 큰 은혜를 느낄 수 있습니다. 셋째로 말씀을 사모하기 때문입니다. 다른 언어를 배운다는 것은 쉽지 않습니다. 그 어려움보다 말씀에 대한 사모가 더욱 간절하기에 우리는 기꺼이 시간과 노력을 할애할 수 있습니다. 이는 마치 해리포터를 사랑하는 사람이 영어를 배우고, 톨스토이를 사랑하는 사람이 러시아어를 배우는 것처럼 원전에 더 가까워지고자 하는 욕망은 말씀을 사모하는 이들이라면 거스를 수 없을 것입니다.

이런 관점에서 언약성경협회와 언약성경연구소의 사역은 하나님의 말씀을 열정적으로 소망하는 우리 그리스도인들에게 있어서 꼭 필요한, 그리고 꼭 이루어 나가야 할 사명이 아닌가 합니다. 이에 말씀을 사모하는 많은 분들이 케타브 프로젝트에 동참하길 소망합니다. 아울러 이학재 교수님을 통해 영광스럽게도 편집과 디자인으로 이 프로젝트에 동참하게 된 것에 대해 주님께 감사드립니다.

편집자

히브리어쓰기성경 활용법

이 책의 구조와 활용법에 대해 알려드립니다.

1. 왼쪽 페이지는 히브리어 성경인 WLC역본과 더불어 맛싸성경과 함께 영문역본 NET2를 대조하였습니다.

   - 맛싸성경은 저자 이학재 교수가 원문성경에서 직접 번역한 번역물로 번역 저작물이 저작권협회에 접수된 개인 번역입니다.

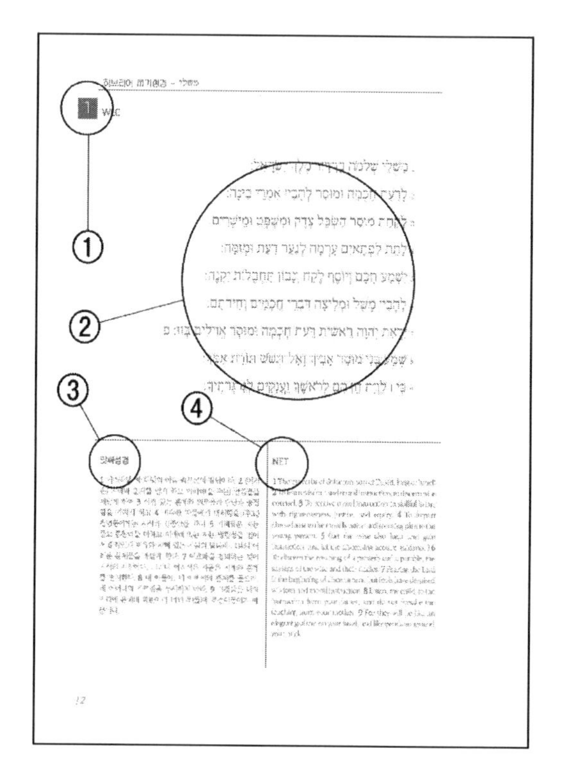

2. 왼쪽 페이지 좌상단에 위치한 숫자는 각 장을 말합니다. 각 절은 본문에 포함되어 있습니다.

   ① 몇 장인지 나타냅니다.
   ② WLC 본문입니다.
   ③ 맛싸성경 본문입니다.
   ④ NET2 본문입니다.

3. 여백을 넉넉히 두어 필사와 함께 성경공부를 위한 노트로 사용할 수 있습니다.

* 히브리어쓰기성경을 통해 하나님의 은혜가 더욱 풍성하고 가득한 신앙의 여정이 되시길 소망합니다.

히브리어 알파벳

형 태	이 름	꼬리형	형 태	이 름	꼬리형
א	알렙		מ	멤	ם
ב	베트		נ	눈	ן
ג	기믈		ס	싸멕	
ד	달렛		ע	아인	
ה	헤		פ	페	ף
ו	바브		צ	차디	ץ
ז	자인		ק	코프	
ח	헤트		ר	레쉬	
ט	테트		שׂ	신	
י	요드		שׁ	쉰	
כ	카프	ך	ת	타브	
ל	라메드				

히브리어 알파벳송

히브리어 모음 vowel

	A 아	E 에	I 이	O 오	U 우
장모음	אָ	אֵ		אֹ	
	카메츠	체레		홀렘	
		אֵי	אִי	אוֹ	אוּ
		체레요드	히렉요드	홀렘바브	슈렉
반모음	אֲ	אֱ		אֳ	
	하텝파타	하텝세골		하텝카메츠	
단모음	אַ	אֶ	אִ	אָ	אֻ
	파타	세골	히렉	카메츠하툽	케부츠
		אְ			
		쉐바			
י가 자음으로 쓰일 때	יָ יַ	יֶ יְ יֵ	יִ	יֹ יוֹ	יוּ יֻ
	야	예	이	요	유

히브리어 모음 vowel 은 단순합니다. 아, 에, 이, 오, 우 발음밖에 없습니다. 하지만, 그 형태가 몇 가지 있는데, 장모음, 단모음, 반모음 등으로 나누어집니다. 장모음은 말 그대로 길게 소리를 내는 모음입니다. 단모음은 짧게 소리를 내는 모음입니다. 그러나 현대에는 장 · 단모음, 그리고 반모음을 크게 구분하여 사용하지는 않는다고 합니다. 다만, :쉐바 발음만 조금 주의가 필요합니다. :쉐바는 '에' 발음일 때도 있지만, 묵음이 되는 경우도 있기 때문입니다.

דניאל
- 다니엘 -

1

WLC

1 בִּשְׁנַת שָׁלוֹשׁ לְמַלְכוּת יְהוֹיָקִים מֶלֶךְ־יְהוּדָה בָּא נְבוּכַדְנֶאצַּר מֶלֶךְ־בָּבֶל יְרוּשָׁלַם וַיָּצַר עָלֶיהָ׃

2 וַיִּתֵּן אֲדֹנָי בְּיָדוֹ אֶת־יְהוֹיָקִים מֶלֶךְ־יְהוּדָה וּמִקְצָת כְּלֵי בֵית־הָאֱלֹהִים וַיְבִיאֵם אֶרֶץ־שִׁנְעָר בֵּית אֱלֹהָיו וְאֶת־הַכֵּלִים הֵבִיא בֵּית אוֹצַר אֱלֹהָיו׃

맛싸성경

1 유다 왕 예호야킴(여호야김) 통치 3 년에 바벨론 왕 느부갓네살이 예루살렘으로 와서 (그는) 그것(예루살렘)을 포위하였다. 2 주께서 유다 왕 예호야킴(여호야김)과 하나님의 성전의 그릇들 일부를 그의 손에 넘기셨고 그는 시날 땅 자기의 신들의 전으로 그것들을 가져갔다. (그가) 그 그릇들을 자기 신들의 창고인 전(집)에 넣었다.

NET

1 In the third year of the reign of King Jehoiakim of Judah, King Nebuchadnezzar of Babylon advanced against Jerusalem and laid it under siege. 2 Now the Lord delivered King Jehoiakim of Judah into his power, along with some of the vessels of the temple of God. He brought them to the land of Babylonia to the temple of his god and put the vessels in the treasury of his god.

1 WLC

3 וַיֹּאמֶר הַמֶּלֶךְ לְאַשְׁפְּנַז רַב סָרִיסָיו לְהָבִיא מִבְּנֵי יִשְׂרָאֵל וּמִזֶּרַע הַמְּלוּכָה וּמִן־הַפַּרְתְּמִים:

4 יְלָדִים אֲשֶׁר אֵין־בָּהֶם כָּל־[מְאוּם כ] (מוּם ק) וְטוֹבֵי מַרְאֶה וּמַשְׂכִּילִים בְּכָל־חָכְמָה וְיֹדְעֵי דַעַת וּמְבִינֵי מַדָּע וַאֲשֶׁר כֹּחַ בָּהֶם לַעֲמֹד בְּהֵיכַל הַמֶּלֶךְ וּלֲלַמְּדָם סֵפֶר וּלְשׁוֹן כַּשְׂדִּים:

5 וַיְמַן לָהֶם הַמֶּלֶךְ דְּבַר־יוֹם בְּיוֹמוֹ מִפַּת־בַּג הַמֶּלֶךְ וּמִיֵּין מִשְׁתָּיו וּלְגַדְּלָם שָׁנִים שָׁלוֹשׁ וּמִקְצָתָם יַעַמְדוּ לִפְנֵי הַמֶּלֶךְ:

6 וַיְהִי בָהֶם מִבְּנֵי יְהוּדָה דָּנִיֵּאל חֲנַנְיָה מִישָׁאֵל וַעֲזַרְיָה:

7 וַיָּשֶׂם לָהֶם שַׂר הַסָּרִיסִים שֵׁמוֹת וַיָּשֶׂם לְדָנִיֵּאל בֵּלְטְשַׁאצַּר וְלַחֲנַנְיָה שַׁדְרַךְ וּלְמִישָׁאֵל מֵישַׁךְ וְלַעֲזַרְיָה עֲבֵד נְגוֹ:

맛싸성경

3 그 왕은 그의 관리들의 대장인 아스부나스에게 말하였다. 이스라엘 아들(자손)들과 왕국의 자손과 귀족들 중에서 (몇 사람을) 데려오라고 하였으니 4 (곧) 소년들로 그들에게 육체적인 결함이 없고 외모가 좋으며 모든 지혜에 통찰력이 있고 지식을 알며 배움을 (잘) 습득하고 왕의 궁전에서 설 수 있는 능력이 있는 자들이라. (그가) 갈대아인들 언어(로 된) 책과 언어를 그들에게 가르치도록 하였다. 5 그 왕은 날마다 그들에게 (일정량) 왕의 음식을 제공해 주었고 그가 마시는 포도주 중에서 준비해 주었으며 그는 그들을 3년 동안 양육하도록 하였다. 그래서 마지막에 그 왕 앞에서 그들로 서게 하였다. 6 그들 중에 유다 아들들(자손) 다니엘과 하나냐와 미사엘과 아자르야(아사랴)가 있었다. 7 그 관리들의 대장은 그들에게 이름들을 주었다. 다니엘에게는 벨드사살 하나냐에게는 사드락 미사엘에게는 메삭 아자르야에게는 아벳느고로 (이름을 지어) 주었다.

NET

3 The king commanded Ashpenaz, who was in charge of his court officials, to choose some of the Israelites who were of royal and noble descent—4 young men in whom there was no physical defect and who were handsome, well versed in all kinds of wisdom, well educated and having keen insight, and who were capable of entering the king's royal service—and to teach them the literature and language of the Babylonians. 5 So the king assigned them a daily ration from his royal delicacies and from the wine he himself drank. They were to be trained for the next three years. At the end of that time they were to enter the king's service. 6 As it turned out, among these young men were some from Judah: Daniel, Hananiah, Mishael, and Azariah. 7 But the overseer of the court officials renamed them. He gave Daniel the name Belteshazzar, Hananiah he named Shadrach, Mishael he named Meshach, and Azariah he named Abednego.

1 WLC

8 וַיָּשֶׂם דָּנִיֵּאל עַל־לִבּוֹ אֲשֶׁר לֹא־יִתְגָּאַל בְּפַתְבַּג הַמֶּלֶךְ וּבְיֵין מִשְׁתָּיו וַיְבַקֵּשׁ מִשַּׂר הַסָּרִיסִים אֲשֶׁר לֹא יִתְגָּאָל׃

9 וַיִּתֵּן הָאֱלֹהִים אֶת־דָּנִיֵּאל לְחֶסֶד וּלְרַחֲמִים לִפְנֵי שַׂר הַסָּרִיסִים׃

10 וַיֹּאמֶר שַׂר הַסָּרִיסִים לְדָנִיֵּאל יָרֵא אֲנִי אֶת־אֲדֹנִי הַמֶּלֶךְ אֲשֶׁר מִנָּה אֶת־מַאֲכַלְכֶם וְאֶת־מִשְׁתֵּיכֶם אֲשֶׁר לָמָּה יִרְאֶה אֶת־פְּנֵיכֶם זֹעֲפִים מִן־הַיְלָדִים אֲשֶׁר כְּגִילְכֶם וְחִיַּבְתֶּם אֶת־רֹאשִׁי לַמֶּלֶךְ׃

맛싸성경

8 그러나 다니엘은 그 마음을 정하고 왕의 음식과 그의 마시는 포도주로 자기를 더럽히지 않으려 하였다. 그러므로 그는 관리들의 대장에게 자신을 더럽히지 않기를 구하였다. 9 하나님은 다니엘에게 관리들의 대장 앞에서 인애와 긍휼하심을 얻게 하셨으니 10 관리들의 대장이 다니엘에게 말했다. "나는 너희 먹을 것과 너희 마실 것을 제공해 주는 내 주인이신 왕을 두려워한다. (곧) 어찌하여 그가 너희 나이의 소년들보다 너희 얼굴이 핼쑥한 것을 보시게 하려느냐? 그러면 너희는 왕에게 내 머리(목숨)를 위협하는 것이 될 것이다."

NET

8 But Daniel made up his mind that he would not defile himself with the royal delicacies or the royal wine. He therefore asked the overseer of the court officials for permission not to defile himself. 9 Then God made the overseer of the court officials sympathetic to Daniel. 10 But he responded to Daniel, "I fear my master the king. He is the one who has decided your food and drink. What would happen if he saw that you looked malnourished in comparison to the other young men your age? If that happened, you would endanger my life with the king!"

1

WLC

11 וַיֹּאמֶר דָּנִיֵּאל אֶל־הַמֶּלְצַר אֲשֶׁר מִנָּה שַׂר הַסָּרִיסִים עַל־דָּנִיֵּאל חֲנַנְיָה מִישָׁאֵל וַעֲזַרְיָה׃

12 נַס־נָא אֶת־עֲבָדֶיךָ יָמִים עֲשָׂרָה וְיִתְּנוּ־לָנוּ מִן־הַזֵּרֹעִים וְנֹאכְלָה וּמַיִם וְנִשְׁתֶּה׃

13 וְיֵרָאוּ לְפָנֶיךָ מַרְאֵינוּ וּמַרְאֵה הַיְלָדִים הָאֹכְלִים אֵת פַּתְבַּג הַמֶּלֶךְ וְכַאֲשֶׁר תִּרְאֵה עֲשֵׂה עִם־עֲבָדֶיךָ׃

14 וַיִּשְׁמַע לָהֶם לַדָּבָר הַזֶּה וַיְנַסֵּם יָמִים עֲשָׂרָה׃

15 וּמִקְצָת יָמִים עֲשָׂרָה נִרְאָה מַרְאֵיהֶם טוֹב וּבְרִיאֵי בָּשָׂר מִן־כָּל־הַיְלָדִים הָאֹכְלִים אֵת פַּתְבַּג הַמֶּלֶךְ׃

16 וַיְהִי הַמֶּלְצַר נֹשֵׂא אֶת־פַּתְבָּגָם וְיֵין מִשְׁתֵּיהֶם וְנֹתֵן לָהֶם זֵרְעֹנִים׃

맛싸성경

11 그러자 다니엘은 감독관이며 관리들의 대장으로 다니엘과 하나냐와 미사엘과 아자르야에게 제공한 자에게 말했다. 12 "당신의 종들을 제발 10 일간 시험하십시오. 우리들에게 채소들로 (만든 음식)을 주셔서 우리로 먹게 하시며 물들을 마시게 해 주십시오. 13 그 후에 당신 앞에서 우리들의 외관과 왕의 음식을 먹는 소년들의 외모들을 보(이)게 하셔서 당신이 보시는 대로 당신의 종들에게 행하십시오." 14 그래서 그가 이 말들을 그들에게 듣고 그는 10 일 동안 그들을 시험했다. 15 열흘들의 마지막에 그들의 모습이 (더) 좋아 보였고 그들은 왕의 음식을 먹었던 소년들보다 몸이 더 살쪘다. 16 그래서 그 감독관은 그들(에게 제공하는) 왕의 음식과 그들이 마시는 포도주를 치웠고 그들에게 채소들로 (만든) 음식을 주었다.

NET

11 Daniel then spoke to the warden whom the overseer of the court officials had appointed over Daniel, Hananiah, Mishael, and Azariah: 12 "Please test your servants for 10 days by providing us with some vegetables to eat and water to drink. 13 Then compare our appearance with that of the young men who are eating the royal delicacies; deal with us in light of what you see." 14 So the warden agreed to their proposal and tested them for 10 days. 15 At the end of the 10 days their appearance was better and their bodies were healthier than all the young men who had been eating the royal delicacies. 16 So the warden removed the delicacies and the wine from their diet and gave them a diet of vegetables instead.

1 WLC

17 וְהַיְלָדִים הָאֵלֶּה אַרְבַּעְתָּם נָתַן לָהֶם הָאֱלֹהִים מַדָּע וְהַשְׂכֵּל בְּכָל־סֵפֶר
וְחָכְמָה וְדָנִיֵּאל הֵבִין בְּכָל־חָזוֹן וַחֲלֹמוֹת׃

18 וּלְמִקְצָת הַיָּמִים אֲשֶׁר־אָמַר הַמֶּלֶךְ לַהֲבִיאָם וַיְבִיאֵם שַׂר הַסָּרִיסִים
לִפְנֵי נְבֻכַדְנֶצַּר׃

19 וַיְדַבֵּר אִתָּם הַמֶּלֶךְ וְלֹא נִמְצָא מִכֻּלָּם כְּדָנִיֵּאל חֲנַנְיָה מִישָׁאֵל וַעֲזַרְיָה
וַיַּעַמְדוּ לִפְנֵי הַמֶּלֶךְ׃

20 וְכֹל דְּבַר חָכְמַת בִּינָה אֲשֶׁר־בִּקֵּשׁ מֵהֶם הַמֶּלֶךְ וַיִּמְצָאֵם עֶשֶׂר יָדוֹת עַל
כָּל־הַחַרְטֻמִּים הָאַשָּׁפִים אֲשֶׁר בְּכָל־מַלְכוּתוֹ׃

21 וַיְהִי דָּנִיֵּאל עַד־שְׁנַת אַחַת לְכוֹרֶשׁ הַמֶּלֶךְ׃ פ

맛싸성경

17 하나님께서 이 네 소년들에게 배움과 모든 책에 대한 통찰력과 지혜를 주셨으며 다니엘은 모든 환상과 꿈에 대해서 이해하였다. 18 왕이 그들을 데려오라고 말한 날들의 마지막이 되었고 관리들의 대장은 느부갓네살 앞으로 그들을 데려왔다. 19 왕이 그들과 함께 이야기를 했고 모든 사람들 중에 다니엘과 하나냐와 미사엘과 아자르야 같은 자들을 그들 모두들에게서 찾을 수 없었다. 그래서 그들은 그 왕 앞에서 봉사했다. 20 왕이 그들로부터 구했던 지혜와 이해력의 모든 것들은 그의 왕국에 있는 모든 점쟁이들과 마술사들보다 10 배나 낫다는 것을 발견하였다. 21 다니엘은 고레스 왕 1 년까지 (그곳에) 살았다.

NET

17 Now as for these four young men, God endowed them with knowledge and skill in all sorts of literature and wisdom—and Daniel had insight into all kinds of visions and dreams. 18 When the time appointed by the king arrived, the overseer of the court officials brought them into Nebuchadnezzar's presence. 19 When the king spoke with them, he did not find among the entire group anyone like Daniel, Hananiah, Mishael, or Azariah. So they entered the king's service. 20 In every matter of wisdom and insight the king asked them about, he found them to be 10 times better than any of the magicians and astrologers that were in his entire empire. 21 Now Daniel lived on until the first year of Cyrus the king.

2 WLC

1 וּבִשְׁנַת שְׁתַּיִם לְמַלְכוּת נְבֻכַדְנֶצַּר חָלַם נְבֻכַדְנֶצַּר חֲלֹמוֹת וַתִּתְפָּעֶם
רוּחוֹ וּשְׁנָתוֹ נִהְיְתָה עָלָיו׃

2 וַיֹּאמֶר הַמֶּלֶךְ לִקְרֹא לַחַרְטֻמִּים וְלָאַשָּׁפִים וְלַמְכַשְּׁפִים וְלַכַּשְׂדִּים
לְהַגִּיד לַמֶּלֶךְ חֲלֹמֹתָיו וַיָּבֹאוּ וַיַּעַמְדוּ לִפְנֵי הַמֶּלֶךְ׃

맛싸성경

1 느부갓네살 통치 2 년에 느부갓네살이 꿈을 꾸었다. 그의 마음은 고민하였고 그의 잠이 그에게서 떠났다. **2** 그러자 왕은 점쟁이들과 마술사들과 점술가와 바벨론의 지혜자들을 불러 자기의 꿈에 대해서 말할 것을 명령했다. 그래서 그들은 와서 왕 앞에 섰다.

NET

1 In the second year of his reign Nebuchadnezzar had many dreams. His mind was disturbed, and he suffered from insomnia. **2** The king issued an order to summon the magicians, astrologers, sorcerers, and wise men in order to explain his dreams to him. So they came and awaited the king's instructions.

2 WLC

3 וַיֹּאמֶר לָהֶם הַמֶּלֶךְ חֲלוֹם חָלָמְתִּי וַתִּפָּעֶם רוּחִי לָדַעַת אֶת־הַחֲלוֹם׃

4 וַיְדַבְּרוּ הַכַּשְׂדִּים לַמֶּלֶךְ אֲרָמִית מַלְכָּא לְעָלְמִין חֱיִי אֱמַר חֶלְמָא [לְעַבְדַּיִךְ כ] (לְעַבְדָךְ ק) וּפִשְׁרָא נְחַוֵּא׃

5 עָנֵה מַלְכָּא וְאָמַר [לְכַשְׂדָּיֵא כ] (לְכַשְׂדָּאֵי ק) מִלְּתָא מִנִּי אַזְדָּא הֵן לָא תְהוֹדְעוּנַּנִי חֶלְמָא וּפִשְׁרֵהּ הַדָּמִין תִּתְעַבְדוּן וּבָתֵּיכוֹן נְוָלִי יִתְּשָׂמוּן׃

6 וְהֵן חֶלְמָא וּפִשְׁרֵהּ תְּהַחֲוֹן מַתְּנָן וּנְבִזְבָּה וִיקָר שַׂגִּיא תְּקַבְּלוּן מִן־קֳדָמָי לָהֵן חֶלְמָא וּפִשְׁרֵהּ הַחֲוֹנִי׃

맛싸성경

3 왕이 그들에게 말했다. "내가 꿈을 꾸었다. 내 마음이 그 꿈에 관해서 알려고 고민하고 있다." 4 그러자 바벨론의 지혜자들이 왕에게 아람어로 말했다. "왕이시여, 만세 수를 하소서. 꿈을 당신의 종들에게 말해 주소서. 그러면 우리가 해석을 하여 알려 드리겠습니다." 5 왕이 대답하였고 그는 바벨론의 지혜자들에게 말했다. "내게서부터 한 말은 확실하다. 만일 너희가 내게 그 꿈과 그 해석을 알게 하지 않으면 너희는 조각으로 쪼개지게 될 것이며 너희 집은 쓰레기 더미가 될 것이다. 6 그러나 만일 그 꿈과 그 해석을 알게 하면 선물과 보상과 큰 영광을 너희는 내 앞에서 받을 것이라. 그러므로 그 꿈과 그 해석을 나에게 알게 하라."

NET

3 The king told them, "I have had a dream, and I am anxious to understand the dream." 4 The wise men replied to the king: [What follows is in Aramaic] "O king, live forever! Tell your servants the dream, and we will disclose its interpretation." 5 The king replied to the wise men, "My decision is firm. If you do not inform me of both the dream and its interpretation, you will be dismembered and your homes reduced to rubble! 6 But if you can disclose the dream and its interpretation, you will receive from me gifts, a reward, and considerable honor. So disclose to me the dream and its interpretation."

2 WLC

7 עֲנוֹ תִנְיָנוּת וְאָמְרִין מַלְכָּא חֶלְמָא יֵאמַר לְעַבְדוֹהִי וּפִשְׁרָה נְהַחֲוֵה׃

8 עָנֵה מַלְכָּא וְאָמַר מִן־יַצִּיב יָדַע אֲנָה דִּי עִדָּנָא אַנְתּוּן זָבְנִין כָּל־קֳבֵל דִּי חֲזֵיתוֹן דִּי אַזְדָּא מִנִּי מִלְּתָא׃

9 דִּי הֵן־חֶלְמָא לָא תְהוֹדְעֻנַּנִי חֲדָה־הִיא דָתְכוֹן וּמִלָּה כִדְבָה וּשְׁחִיתָה [הַזְמִנְתּוּן כ] (הִזְדְּמִנְתּוּן ק) לְמֵאמַר קָדָמַי עַדדִּי עִדָּנָא יִשְׁתַּנֵּא לָהֵן חֶלְמָא אֱמַרוּ לִי וְאִנְדַּע דִּי פִשְׁרֵהּ תְּהַחֲוֻנַּנִי׃

맛싸성경

7 그들이 두 번째로 대답하여 말했다. "왕은 (그의) 종들에게 그 꿈을 말씀하시면 그 해석을 우리가 알게 하겠습니다." **8** 왕이 대답하였고 그가 말했다. "나는 너희가 시간을 벌려고 하는 것을 확실히 알고 있다. 이는 내가 내게서 (나온) 그 말은 확실하다는 것을 너희가 인식하고 있음이라. **9** 만일 너희가 그 꿈을 내게 알게 하지 않으면 법은 하나이니 (너희가) 거짓말과 틀린 말을 음모하고 시간이 바뀔 때까지 내 앞에서 말하려 하는 것이라. 그러므로 그 꿈을 내게 말하라. 그리하면 너희가 그 해석을 내게 알려 줄 수 있는지를 내가 알 것이라."

NET

7 They again replied, "Let the king inform us of the dream; then we will disclose its interpretation." **8** The king replied, "I know for sure that you are attempting to gain time, because you see that my decision is firm. **9** If you don't inform me of the dream, there is only one thing that is going to happen to you. For you have agreed among yourselves to report to me something false and deceitful until such time as things might change. So tell me the dream, and I will have confidence that you can disclose its interpretation."

2 WLC

10 עֲנוֹ [כַשְׂדָּיֵא כ] (כַשְׂדָּאֵי ק) קֳדָם־מַלְכָּא וְאָמְרִין לָא־אִיתַי אֱנָשׁ עַל־
יַבֶּשְׁתָּא דִּי מִלַּת מַלְכָּא יוּכַל לְהַחֲוָיָה כָּל־קֳבֵל דִּי כָּל־מֶלֶךְ רַב וְשַׁלִּיט
מִלָּה כִדְנָה לָא שְׁאֵל לְכָל־חַרְטֹּם וְאָשַׁף וְכַשְׂדָּי׃
11 וּמִלְּתָא דִי־מַלְכָּה שָׁאֵל יַקִּירָה וְאָחֳרָן לָא אִיתַי דִּי יְחַוִּנַּהּ קֳדָם מַלְכָּא
לָהֵן אֱלָהִין דִּי מְדָרְהוֹן עִם־בִּשְׂרָא לָא אִיתוֹהִי׃
12 כָּל־קֳבֵל דְּנָה מַלְכָּא בְּנַס וּקְצַף שַׂגִּיא וַאֲמַר לְהוֹבָדָה לְכֹל חַכִּימֵי
בָבֶל׃
13 וְדָתָא נֶפְקַת וְחַכִּימַיָּא מִתְקַטְּלִין וּבְעוֹ דָּנִיֵּאל וְחַבְרוֹהִי לְהִתְקְטָלָה׃ פ

맛싸성경

10 바벨론의 지혜자들이 왕 앞에서 대답하여 말하였다. "세상에는 왕의 말을 보여줄 수 있는 사람은 있지 않습니다. 그러므로 이 일로 위대하거나 강한 어떤 왕도 이런 말을 점쟁이와 마술사와 바벨론의 지혜자에게 묻지 않았습니다. 11 왕께서 구하시는 말은 어려우며 왕 앞에서 그것을 보여줄 다른 자가 있지 않습니다. 신을 제외하고는 육체와 함께 사는 곳에서는 없습니다." 12 이 모든 일로 인하여 왕은 화가 났고 그는 대단히 분노했다. 그리고 그는 바벨론에 있는 모든 지혜자들을 죽일 것을 명령했다. 13 그래서 한 법이 선포되었고 지혜자들이 죽임당하게 되자 그들은 다니엘과 그의 친구들도 죽이려고 찾았다.

NET

10 The wise men replied to the king, "There is no man on earth who is able to disclose the king's secret, for no king, regardless of his position and power, has ever requested such a thing from any magician, astrologer, or wise man. 11 What the king is asking is too difficult, and no one exists who can disclose it to the king, except for the gods—but they don't live among mortals!" 12 Because of this the king got furiously angry and gave orders to destroy all the wise men of Babylon. 13 So a decree went out, and the wise men were about to be executed. They also sought Daniel and his friends so that they could be executed.

2 WLC

14 בֵּאדַיִן דָּנִיֵּאל הֲתִיב עֵטָא וּטְעֵם לְאַרְיוֹךְ רַב־טַבָּחַיָּא דִּי מַלְכָּא דִּי נְפַק לְקַטָּלָה לְחַכִּימֵי בָּבֶל׃

15 עָנֵה וְאָמַר לְאַרְיוֹךְ שַׁלִּיטָא דִי־מַלְכָּא עַל־מָה דָתָא מְהַחְצְפָה מִן־קֳדָם מַלְכָּא אֱדַיִן מִלְּתָא הוֹדַע אַרְיוֹךְ לְדָנִיֵּאל׃

16 וְדָנִיֵּאל עַל וּבְעָה מִן־מַלְכָּא דִּי זְמָן יִנְתֵּן־לֵהּ וּפִשְׁרָא לְהַחֲוָיָה לְמַלְכָּא׃ פ

17 אֱדַיִן דָּנִיֵּאל לְבַיְתֵהּ אֲזַל וְלַחֲנַנְיָה מִישָׁאֵל וַעֲזַרְיָה חַבְרוֹהִי מִלְּתָא הוֹדַע׃

18 וְרַחֲמִין לְמִבְעֵא מִן־קֳדָם אֱלָהּ שְׁמַיָּא עַל־רָזָה דְּנָה דִּי לָא יְהֹבְדוּן דָּנִיֵּאל וְחַבְרוֹהִי עִם־שְׁאָר חַכִּימֵי בָבֶל׃

맛싸성경

14 그러자 다니엘은 바벨론의 지혜자들을 죽이려고 나간 왕의 경호대 대장 아리옥에게 조언과 이해력으로 답하였다. 15 그는 왕의 신하 아리옥에게 대답하여 말했다. "어째서 긴급한 그 법이 왕 앞에서부터 나왔습니까?" 그러자 아리옥은 다니엘에게 이 일을 알게 하였다. 16 다니엘은 들어가서 왕으로부터 그(자기)에게 정한 시간을 줄 것을 구하였고 왕에게 그 해석을 알려 드리겠다고 하였다. 17 그 후에 다니엘은 자기 집으로 갔다. 그는 그의 친구들 하나냐와 미사엘과 아자르야에게 그 일을 알게 하였고 18 (그들로 하여금) 이 비밀에 관해서 하늘의 하나님 앞에서부터 (그분의) 긍휼하심을 구하였다. 그들은 다니엘과 그의 친구들이 바벨론의 남은 지혜자들과 함께 죽임당하지 않도록 구하였다.

NET

14 Then Daniel spoke with prudent counsel to Arioch, who was in charge of the king's executioners and who had gone out to execute the wise men of Babylon. 15 He inquired of Arioch the king's deputy, "Why is the decree from the king so urgent?" Then Arioch informed Daniel about the matter. 16 So Daniel went in and requested the king to grant him time, that he might disclose the interpretation to the king. 17 Then Daniel went to his home and informed his friends Hananiah, Mishael, and Azariah of the matter. 18 He asked them to pray for mercy from the God of heaven concerning this mystery so that he and his friends would not be destroyed along with the rest of the wise men of Babylon.

2 WLC

19 אֱדַיִן לְדָנִיֵּאל בְּחֶזְוָא דִּי־לֵילְיָא רָזָה גֲלִי אֱדַיִן דָּנִיֵּאל בָּרִךְ לֶאֱלָהּ שְׁמַיָּא:

20 עָנֵה דָנִיֵּאל וְאָמַר לֶהֱוֵא שְׁמֵהּ דִּי־אֱלָהָא מְבָרַךְ מִן־עָלְמָא וְעַד־עָלְמָא
דִּי חָכְמְתָא וּגְבוּרְתָא דִּי לֵהּ־הִיא:

21 וְהוּא מְהַשְׁנֵא עִדָּנַיָּא וְזִמְנַיָּא מְהַעְדֵּה מַלְכִין וּמְהָקֵים מַלְכִין יָהֵב
חָכְמְתָא לְחַכִּימִין וּמַנְדְּעָא לְיָדְעֵי בִינָה:

22 הוּא גָּלֵא עַמִּיקָתָא וּמְסַתְּרָתָא יָדַע מָה בַחֲשׁוֹכָא
[וּנְהִירָא כ] (וּנְהוֹרָא ק) עִמֵּהּ שְׁרֵא:

23 לָךְ ׀ אֱלָהּ אֲבָהָתִי מְהוֹדֵא וּמְשַׁבַּח אֲנָה דִּי חָכְמְתָא וּגְבוּרְתָא יְהַבְתְּ
לִי וּכְעַן הוֹדַעְתַּנִי דִּי־בְעֵינָא מִנָּךְ דִּי־מִלַּת מַלְכָּא הוֹדַעְתֶּנָא:

맛싸성경

19 그러자 그 밤에 다니엘에게 환상으로 비밀이 계시되었다. 그러자 다니엘은 (그) 하늘의 하나님을 송축하였다. **20** 다니엘이 대답하여 말했다. "하나님 그분의 이름이 영원부터 영원까지 송축을 받으시리로다. 지혜와 권능이 그분에게 있도다. **21** 그분은 연수(때)와 정한 시간(시기)을 바꾸시며 왕들을 폐하시고 왕들을 세우시도다. (그분은) 지혜자들에게 지혜를 주시고 분별력을 아는 자에게 이해력도 주시도다. **22** 그분은 깊은 것과 감추어진 것들을 드러내시는 분이시도다. (그분은) 어두운 곳에 있는 것을 아시며 빛이 그와 함께 거하시도다. **23** 내 아버지(조상)들의 하나님이시여! 내가 주께 감사드리며 (주를) 찬양하나니 (이는) 나에게 지혜와 권능을 주셨음이니이다. 이제 주께서 우리가 주께 구한 것을 내게 알게 하셨으며 왕의 일을 주께서 우리에게 알게 하셨나이다."

NET

19 Then in a night vision the mystery was revealed to Daniel. So Daniel praised the God of heaven, **20** saying: "Let the name of God be praised forever and ever, for wisdom and power belong to him. **21** He changes times and seasons, deposing some kings and establishing others. He gives wisdom to the wise; he imparts knowledge to those with understanding; **22** he reveals deep and hidden things. He knows what is in the darkness, and light resides with him. **23** O God of my fathers, I acknowledge and glorify you, for you have bestowed wisdom and power on me. Now you have enabled me to understand what we requested from you. For you have enabled us to understand the king's dilemma."

2 WLC

24 כָּל־קֳבֵל דְּנָה דָּנִיֵּאל עַל עַל־אַרְיוֹךְ דִּי מַנִּי מַלְכָּא לְהוֹבָדָה לְחַכִּימֵי
בָבֶל אֲזַל ׀ וְכֵן אֲמַר־לֵהּ לְחַכִּימֵי בָבֶל אַל־תְּהוֹבֵד הַעֵלְנִי קֳדָם מַלְכָּא
וּפִשְׁרָא לְמַלְכָּא אֲחַוֵּא׃ ס

맛싸성경

24 그러므로 이 모든 일로 인하여 다니엘은 왕이 바벨론의 지혜자들을 죽이도록 임명한 아리옥에게 들어갔고 그가 가서 이렇게 그에게 말하였다. "바벨론의 지혜자들을 멸하지 마소서. 나를 왕의 앞으로 들어가게 하시면 내가 왕에게 해석을 보일 것입니다."

NET

24 Then Daniel went in to see Arioch (whom the king had appointed to destroy the wise men of Babylon). He came and said to him, "Don't destroy the wise men of Babylon! Escort me to the king, and I will disclose the interpretation to him."

2 WLC

25 אֱדַיִן אַרְיוֹךְ בְּהִתְבְּהָלָה הַנְעֵל לְדָנִיֵּאל קֳדָם מַלְכָּא וְכֵן אֲמַר־לֵהּ דִּי־הַשְׁכַּחַת גְּבַר מִן־בְּנֵי גָלוּתָא דִּי יְהוּד דִּי פִשְׁרָא לְמַלְכָּא יְהוֹדַע׃

26 עָנֵה מַלְכָּא וְאָמַר לְדָנִיֵּאל דִּי שְׁמֵהּ בֵּלְטְשַׁאצַּר [הַאִיתַיִךְ כ] (הַאִיתָךְ ק) כָּהֵל לְהוֹדָעֻתַנִי חֶלְמָא דִי־חֲזֵית וּפִשְׁרֵהּ׃

27 עָנֵה דָנִיֵּאל קֳדָם מַלְכָּא וְאָמַר רָזָה דִּי־מַלְכָּא שָׁאֵל לָא חַכִּימִין אָשְׁפִין חַרְטֻמִּין גָּזְרִין יָכְלִין לְהַחֲוָיָה לְמַלְכָּא׃

28 בְּרַם אִיתַי אֱלָהּ בִּשְׁמַיָּא גָּלֵא רָזִין וְהוֹדַע לְמַלְכָּא נְבוּכַדְנֶצַּר מָה דִּי לֶהֱוֵא בְּאַחֲרִית יוֹמַיָּא חֶלְמָךְ וְחֶזְוֵי רֵאשָׁךְ עַל־מִשְׁכְּבָךְ דְּנָה הוּא׃ פ

맛싸성경

25 그러자 아리옥은 서둘러 다니엘을 왕 앞으로 데리고 들어갔고 그(왕)에게 이같이 말했다. "제가 유다에서 사로잡혀온 자의 아들들 중에서 한 사람을 찾았으니 (그가) 왕에게 그 해석을 알게 해 줄 것입니다." 26 왕이 대답했고 그의 이름이 벨드사살인 다니엘에게 말했다. "너는 내가 본 꿈과 그것을 해석하여 내게 알려 줄 수 있느냐?" 27 다니엘이 왕 앞에서 대답하였고 그가 말했다. "왕께서 물으시는 비밀은 지혜자들이나 마술사들이나 점쟁이들이나 점술가들이라도 왕에게 알려드릴 수가 없나이다. 28 그럼에도 비밀들을 나타내시는 하나님이 하늘에 계시며 그분이 느부갓네살 왕에게 이후의 시대(날들)에 일어날 것이 무엇인지 알게 하셨나이다. 왕의 꿈과 왕의 침상에서 있었던 왕의 머리의 환상은 이것입니다.

NET

25 So Arioch quickly ushered Daniel into the king's presence, saying to him, "I have found a man from the captives of Judah who can make known the interpretation to the king." 26 The king then asked Daniel (whose name was also Belteshazzar), "Are you able to make known to me the dream that I saw, as well as its interpretation?" 27 Daniel replied to the king, "The mystery that the king is asking about is such that no wise men, astrologers, magicians, or diviners can possibly disclose it to the king. 28 However, there is a God in heaven who reveals mysteries, and he has made known to King Nebuchadnezzar what will happen in the times to come. The dream and the visions you had while lying on your bed are as follows:

2 WLC

29 אַנְתְּה מַלְכָּא רַעְיוֹנָךְ עַל־מִשְׁכְּבָךְ סְלִקוּ מָה דִּי לֶהֱוֵא אַחֲרֵי
דְנָה וְגָלֵא רָזַיָּא הוֹדְעָךְ מָה־דִי לֶהֱוֵא׃

30 וַאֲנָה לָא בְחָכְמָה דִּי־אִיתַי בִּי מִן־כָּל־חַיַּיָּא רָזָא דְנָה גֱּלִי לִי לָהֵן
עַל־דִּבְרַת דִּי פִשְׁרָא לְמַלְכָּא יְהוֹדְעוּן וְרַעְיוֹנֵי לִבְבָךְ תִּנְדַּע׃

31 אַנְתְּה מַלְכָּא חָזֵה הֲוַיְתָ וַאֲלוּ צְלֵם חַד שַׂגִּיא צַלְמָא דִּכֵּן רַב וְזִיוֵהּ
יַתִּיר קָאֵם לְקָבְלָךְ וְרֵוֵהּ דְּחִיל׃

32 הוּא צַלְמָא רֵאשֵׁהּ דִּי־דְהַב טָב חֲדוֹהִי וּדְרָעוֹהִי דִּי כְסַף מְעוֹהִי
וְיַרְכָתֵהּ דִּי נְחָשׁ׃

33 שָׁקוֹהִי דִּי פַרְזֶל רַגְלוֹהִי [מִנְּהוֹן כ] (מִנְּהֵין ק) דִּי פַרְזֶל
[וּמִנְּהוֹן כ] (וּמִנְּהֵין ק) דִּי חֲסַף׃

맛싸성경

29 왕이시여, 왕의 침상 위에서 왕의 생각이 떠올랐는데 (그것은) '이것 후에 있을 것이 무엇인가?' 또 그 비밀을 계시하시는 분이 '일어날 일이 무엇인지?'를 보여주셨습니다. 30 그러나 나는 살아있는 어떤 자들보다 내게 지혜가 있어서 이 비밀이 내게 계시된 것이 아닙니다. 오히려 왕에게 그 해석을 알도록 하여 왕의 마음의 생각을 (왕에게) 알리시려는 이유이기 때문입니다. 31 왕이시여, 왕은 보고 계셨는데 보니 하나의 큰 동상이었고 이것은 크며 광채는 대단하였고 왕 앞에 서 있었습니다. 그 모양은 무시무시했습니다. 32 그 동상의 머리는 순금이고 그(것의) 가슴과 그(것의) 팔들은 은이며 그(것의) 배들과 그(것의) 넓적 다리들은 놋쇠이고 33 그(것의) 다리들은 철이고 그(것의) 발들은 어떤 부분은 철이며 어떤 부분은 반죽된 진흙이었습니다.

NET

29 "As for you, O king, while you were in your bed your thoughts turned to future things. The revealer of mysteries has made known to you what will take place. 30 As for me, this mystery was revealed to me not because I possess more wisdom than any other living person, but so that the king may understand the interpretation and comprehend the thoughts of your mind. 31 "You, O king, were watching as a great statue—one of impressive size and extraordinary brightness—was standing before you. Its appearance caused alarm. 32 As for that statue, its head was of fine gold, its chest and arms were of silver, its belly and thighs were of bronze. 33 Its legs were of iron; its feet were partly of iron and partly of clay.

2 WLC

34 חָזֵה הֲוַיְתָ עַד דִּי הִתְגְּזֶרֶת אֶבֶן דִּי־לָא בִידַיִן וּמְחָת לְצַלְמָא עַל־רַגְלוֹהִי
דִּי פַרְזְלָא וְחַסְפָּא וְהַדֵּקֶת הִמּוֹן׃

35 בֵּאדַיִן דָּקוּ כַחֲדָה פַּרְזְלָא חַסְפָּא נְחָשָׁא כַּסְפָּא וְדַהֲבָא וַהֲווֹ כְּעוּר
מִן־אִדְּרֵי־קַיִט וּנְשָׂא הִמּוֹן רוּחָא וְכָל־אֲתַר לָא־הִשְׁתְּכַח לְהוֹן
וְאַבְנָא ׀ דִּי־מְחָת לְצַלְמָא הֲוָת לְטוּר רַב וּמְלָת כָּל־אַרְעָא׃

36 דְּנָה חֶלְמָא וּפִשְׁרֵהּ נֵאמַר קֳדָם־מַלְכָּא׃

맛싸성경

34 왕이 보시니 손(의 작업) 없이 뜨여진(잘린) 돌이 있었고 (그것이) 그 동상에서 철과 (반죽된) 진흙으로 된 그(것의) 발들을 쳐서 그것들을 산산조각 냈습니다. 35 그러자 철과 진흙과 놋쇠와 은과 금은 산산조각 났고 그것들은 여름 타작마당의 겨같이 되었으며 바람이 그것들을 들어 날렸고 그것에 관한 어떤 흔적도 찾아지지 않았습니다. 그 동상을 쳤던 돌은 큰 산이 되었으며 그것은 온 땅을 채웠습니다." 36 "이것이 그 꿈이며 그 해석을 왕 앞에서 우리가 말씀드리겠나이다.

NET

34 You were watching as a stone was cut out, but not by human hands. It struck the statue on its iron and clay feet, breaking them in pieces. 35 Then the iron, clay, bronze, silver, and gold were broken in pieces without distinction and became like chaff from the summer threshing floors that the wind carries away. Not a trace of them could be found. But the stone that struck the statue became a large mountain that filled the entire earth. 36 This was the dream. Now we will set forth before the king its interpretation.

2 WLC

37 אַנְתְּה מַלְכָּא מֶלֶךְ מַלְכַיָּא דִּי אֱלָהּ שְׁמַיָּא מַלְכוּתָא חִסְנָא וְתָקְפָּא
וִיקָרָא יְהַב־לָךְ׃

38 וּבְכָל־דִּי [דָאֲרִין כ] (דָּיְרִין ק) בְּנֵי־אֲנָשָׁא חֵיוַת בָּרָא וְעוֹף־שְׁמַיָּא יְהַב
בִּידָךְ וְהַשְׁלְטָךְ בְּכָלְּהוֹן אַנְתְּה־הוּא רֵאשָׁה דִּי דַהֲבָא׃

39 וּבָתְרָךְ תְּקוּם מַלְכוּ אָחֳרִי אֲרַעא מִנָּךְ וּמַלְכוּ [תְלִיתָיָא כ] (תְלִיתָאָה ק)
אָחֳרִי דִּי נְחָשָׁא דִּי תִשְׁלַט בְּכָל־אַרְעָא׃

40 וּמַלְכוּ [רְבִיעָיָה כ] (רְבִיעָאָה ק) תֶּהֱוֵא תַקִּיפָה כְּפַרְזְלָא כָּל־קֳבֵל דִּי
פַרְזְלָא מְהַדֵּק וְחָשֵׁל כֹּלָּא וּכְפַרְזְלָא דִּי־מְרָעַע כָּל־אִלֵּין תַּדִּק וְתֵרֹעַ׃

맛싸성경

37 왕이시여, 당신은 왕들 중에 왕이시나이다. 하늘의 하나님께서 왕국과 권능과 힘과 영광을 왕에게 주셨습니다. **38** 또 그분이 사람들의 아들들과 들의 짐승과 하늘의 새들이 사는 모든 곳을 왕의 손에 주셨으며 (그분이) 왕으로 그들 모두 위에 통치하게 하셨습니다. 당신이 그 금으로 된 머리 그것입니다. **39** 왕 후에 왕보다 더 열등한 다른 왕국이 일어날 것이며 놋쇠의 다른 세 번째 그것(왕국)이 온 땅에서 통치할 것입니다. **40** 또 네 번째 왕국이 철같이 강력하게 될 것입니다. 그러므로 철이 모든 것을 산산조각 내고 모든 것을 부수며 철이 모든 것을 박살 내는 것같이 그것(왕국)은 산산조각 내고 박살 낼 것입니다.

NET

37 "You, O king, are the king of kings. The God of heaven has granted you sovereignty, power, strength, and honor. **38** Wherever human beings, wild animals, and birds of the sky live—he has given them into your power. He has given you authority over them all. You are the head of gold. **39** Now after you another kingdom will arise, one inferior to yours. Then a third kingdom, one of bronze, will rule in all the earth. **40** Then there will be a fourth kingdom, one strong like iron. Just like iron breaks in pieces and shatters everything, and as iron breaks in pieces all these metals, so it will break in pieces and crush the others.

2 WLC

41 וְדִי־חֲזַיְתָה רַגְלַיָּא וְאֶצְבְּעָתָא [מִנְּהוֹן כ] (מִנְּהֵין ק) חֲסַף דִּי־פֶחָר
[וּמִנְּהוֹן כ] (וּמִנְּהֵין ק) פַּרְזֶל מַלְכוּ פְלִיגָה תֶּהֱוֵה וּמִן־נִצְבְּתָא דִי
פַרְזְלָא לֶהֱוֵא־בַהּ כָּל־קֳבֵל דִּי חֲזַיְתָה פַּרְזְלָא מְעָרַב בַּחֲסַף טִינָא׃
42 וְאֶצְבְּעָת רַגְלַיָּא [מִנְּהוֹן כ] (מִנְּהֵין ק) פַּרְזֶל [וּמִנְּהוֹן כ] (וּמִנְּהֵין ק)
חֲסַף מִן־קְצָת מַלְכוּתָא תֶּהֱוֵה תַקִּיפָה וּמִנַּהּ תֶּהֱוֵה תְבִירָה׃
43 [דִּי כ] (וְדִי ק) חֲזַיְתָ פַּרְזְלָא מְעָרַב בַּחֲסַף טִינָא מִתְעָרְבִין לֶהֱוֺן
בִּזְרַע אֲנָשָׁא וְלָא־לֶהֱוֺן דָּבְקִין דְּנָה עִם־דְּנָה הֵא־כְדִי פַרְזְלָא לָא
מִתְעָרַב עִם־חַסְפָּא׃

맛싸성경

41 또 왕이 보신 발들과 발가락들은 그것들의 어떤 부분은 토기장이의 (반죽된) 진흙이었고 그들의 어떤 부분은 철이었으니 그같이 왕국들은 나누어질 것이며 그 (왕국) 안에 철의 강함이 있을 것입니다. 왕이 보신 대로 철은 반죽된 진흙으로 섞여 있었습니다. 42 또 그 발의 발가락들의 어떤 부분은 철로 되었고 그것들의 어떤 부분은 진흙이듯이 이 왕국의 (일)부분은 강하고 그중에 어떤 (부분은) 부서집니다. 43 왕이 반죽된 진흙으로 섞인 철을 보신 것같이 그들도 그 사람의 후손들과 섞이게 될 것이나 철이 진흙과 섞이지 않는 것같이 그들도 이것저것이 연합되지 않을 것입니다.

NET

41 In that you were seeing feet and toes partly of wet clay and partly of iron, so this will be a divided kingdom. Some of the strength of iron will be in it, for you saw iron mixed with wet clay. 42 In that the toes of the feet were partly of iron and partly of clay, the latter stages of this kingdom will be partly strong and partly fragile. 43 And in that you saw iron mixed with wet clay, so people will be mixed with one another without adhering to one another, just as iron does not mix with clay.

2 WLC

44 וּבְיוֹמֵיהוֹן דִּי מַלְכַיָּא אִנּוּן יְקִים אֱלָהּ שְׁמַיָּא מַלְכוּ דִּי לְעָלְמִין לָא
תִתְחַבַּל וּמַלְכוּתָה לְעַם אָחֳרָן לָא תִשְׁתְּבִק תַּדִּק וְתָסֵיף כָּל־אִלֵּין
מַלְכְוָתָא וְהִיא תְּקוּם לְעָלְמַיָּא׃

45 כָּל־קֳבֵל דִּי־חֲזַיְתָ דִּי מִטּוּרָא אִתְגְּזֶרֶת אֶבֶן דִּי־לָא בִידַיִן וְהַדֶּקֶת
פַּרְזְלָא נְחָשָׁא חַסְפָּא כַּסְפָּא וְדַהֲבָא אֱלָהּ רַב הוֹדַע לְמַלְכָּא מָה דִּי
לֶהֱוֵא אַחֲרֵי דְנָה וְיַצִּיב חֶלְמָא וּמְהֵימַן פִּשְׁרֵהּ׃ פ

맛싸성경

44 그 왕들의 시대에 하늘의 하나님이 멸망하지 않을 영원한 왕국을 세우실 것이며 이 왕국은 다른 백성들에게 넘어가지 않을 것입니다. 이(왕국)것은 이 모든 (철과 흙의) 왕국들을 산산 조각낼 것이고 이것들을 완전히 멸망시킬 것이며 그것(왕국)은 영원히 설 것입니다. 45 왕이 산에서부터 사람의 손(의 작업) 없이 뜨인 돌과 철과 놋쇠와 (반죽된) 진흙과 은과 금이 부서진 것을 보게 되었기 때문에 크신 하나님께서 왕에게 이후에 일어날 일이 무엇인지를 알게 하셨습니다. 그 꿈은 참되고 그 해석은 믿을만합니다."

NET

44 In the days of those kings the God of heaven will raise up an everlasting kingdom that will not be destroyed and a kingdom that will not be left to another people. It will break in pieces and bring about the demise of all these kingdoms. But it will stand forever. 45 You saw that a stone was cut from a mountain, but not by human hands; it smashed the iron, bronze, clay, silver, and gold into pieces. The great God has made known to the king what will occur in the future. The dream is certain, and its interpretation is reliable."

2 WLC

46 בֵּאדַיִן מַלְכָּא נְבוּכַדְנֶצַּר נְפַל עַל־אַנְפּוֹהִי וּלְדָנִיֵּאל סְגִד וּמִנְחָה וְנִיחֹחִין אֲמַר לְנַסָּכָה לֵהּ׃

47 עָנֵה מַלְכָּא לְדָנִיֵּאל וְאָמַר מִן־קְשֹׁט דִּי אֱלָהֲכוֹן הוּא אֱלָהּ אֱלָהִין וּמָרֵא מַלְכִין וְגָלֵה רָזִין דִּי יְכֵלְתָּ לְמִגְלֵא רָזָה דְנָה׃

48 אֱדַיִן מַלְכָּא לְדָנִיֵּאל רַבִּי וּמַתְּנָן רַבְרְבָן שַׂגִּיאָן יְהַב־לֵהּ וְהַשְׁלְטֵהּ עַל כָּל־מְדִינַת בָּבֶל וְרַב־סִגְנִין עַל כָּל־חַכִּימֵי בָבֶל׃

49 וְדָנִיֵּאל בְּעָא מִן־מַלְכָּא וּמַנִּי עַל עֲבִידְתָּא דִּי מְדִינַת בָּבֶל לְשַׁדְרַךְ מֵישַׁךְ וַעֲבֵד נְגוֹ וְדָנִיֵּאל בִּתְרַע מַלְכָּא׃ פ

맛싸성경

46 그러자 그 왕 느부갓네살은 그의 얼굴을 (땅에) 대고 그는 다니엘에게 경의를 표했다. 그리고 예물과 향들을 그분(하늘의 하나님)에게 (부어) 드릴 것을 명령했다. **47** 왕은 다니엘에게 대답하여 말했다. "진실로 네 하나님 그분은 신들 중에 신이시고 왕들 중에 왕이시며 비밀(들)을 드러내신다. 네가 이 비밀을 드러내게 할 수 있었음(을 봄이다)." **48** 그러자 왕은 다니엘을 높은 사람으로 세웠고 대단히 많은 선물들을 그에게 주었으며 그로 바벨론의 모든 지방들을 통치하게 하였다. (그는 그를) 바벨론의 모든 지혜자들 위에 관리들의 대장으로 두었다. **49** 다니엘은 왕에게 (직접) 구하였고 사드락 메삭 아벳느고를 바벨론의 모든 지방 행정관으로 임명하였다. 그러나 다니엘은 왕의 궁에 거하였다.

NET

46 Then King Nebuchadnezzar bowed down with his face to the ground and paid homage to Daniel. He gave orders to offer sacrifice and incense to him. **47** The king replied to Daniel, "Certainly your God is a God of gods and Lord of kings and revealer of mysteries, for you were able to reveal this mystery!" **48** Then the king elevated Daniel to high position and bestowed on him many marvelous gifts. He granted him authority over the entire province of Babylon and made him the main prefect over all the wise men of Babylon. **49** And at Daniel's request, the king appointed Shadrach, Meshach, and Abednego over the administration of the province of Babylon. Daniel himself served in the king's court.

3 WLC

1 נְבוּכַדְנֶצַּר מַלְכָּא עֲבַד צְלֵם דִּי־דְהַב רוּמֵהּ אַמִּין שִׁתִּין פְּתָיֵהּ אַמִּין שִׁת
אֲקִימֵהּ בְּבִקְעַת דּוּרָא בִּמְדִינַת בָּבֶל׃

2 וּנְבוּכַדְנֶצַּר מַלְכָּא שְׁלַח לְמִכְנַשׁ לַאֲחַשְׁדַּרְפְּנַיָּא סִגְנַיָּא וּפַחֲוָתָא
אֲדַרְגָּזְרַיָּא גְדָבְרַיָּא דְּתָבְרַיָּא תִּפְתָּיֵא וְכֹל שִׁלְטֹנֵי מְדִינָתָא לְמֵתֵא
לַחֲנֻכַּת צַלְמָא דִּי הֲקֵים נְבוּכַדְנֶצַּר מַלְכָּא׃

3 בֵּאדַיִן מִתְכַּנְּשִׁין אֲחַשְׁדַּרְפְּנַיָּא סִגְנַיָּא וּפַחֲוָתָא אֲדַרְגָּזְרַיָּא גְדָבְרַיָּא
דְּתָבְרַיָּא תִּפְתָּיֵא וְכֹל שִׁלְטֹנֵי מְדִינָתָא לַחֲנֻכַּת צַלְמָא דִּי הֲקֵים
נְבוּכַדְנֶצַּר מַלְכָּא [וְקָאֲמִין כ] (וְקָיְמִין ק) לָקֳבֵל צַלְמָא דִּי הֲקֵים
נְבוּכַדְנֶצַּר׃

맛싸성경

1 느부갓네살 왕이 금 동상을 만들었는데 그것의 높이는 60 규빗이고 그것의 너비는 6 규빗이었다. 바벨론의 한 지방에 있는 두라 평지에 그것을 세웠다. **2** 느부갓네살 왕은 (사람들을) 보내어 총독들과 주지사들과 도지사들과 자문관들과 재무관들과 재판관들과 치안관들과 그 모든 지역의 관리들을 모았다. (그들을) 느부갓네살 왕이 세운 동상의 제막식에 오게 했다. **3** 그러자 총독들과 주지사들과 도지사들과 자문관들과 재무관들과 재판관들과 치안관들과 그 모든 지역의 관리들이 느부갓네살 왕이 세운 동상의 제막식에 모였다. 그들은 느부갓네살이 세운 동상 앞에 섰다.

NET

1 King Nebuchadnezzar had a golden statue made. It was 90 feet tall and 9 feet wide. He erected it on the plain of Dura in the province of Babylon. **2** Then King Nebuchadnezzar sent out a summons to assemble the satraps, prefects, governors, counselors, treasurers, judges, magistrates, and all the other authorities of the province to attend the dedication of the statue that he had erected. **3** So the satraps, prefects, governors, counselors, treasurers, judges, magistrates, and all the other provincial authorities assembled for the dedication of the statue that King Nebuchadnezzar had erected. They were standing in front of the statue that Nebuchadnezzar had erected.

3 WLC

4 וְכָרוֹזָא קָרֵא בְחָיִל לְכוֹן אָמְרִין עַמְמַיָּא אֻמַּיָּא וְלִשָּׁנַיָּא׃

5 בְּעִדָּנָא דִּֽי־תִשְׁמְעוּן קָל קַרְנָא מַשְׁרוֹקִיתָא [קִיתָרוֹס כ] (קַתְרוֹס ק)
סַבְּכָא פְּסַנְתֵּרִין סוּמְפֹּנְיָה וְכֹל זְנֵי זְמָרָא תִּפְּלוּן וְתִסְגְּדוּן לְצֶלֶם דַּהֲבָא דִּי
הֲקֵים נְבוּכַדְנֶצַּר מַלְכָּא׃

6 וּמַן־דִּֽי־לָא יִפֵּל וְיִסְגֻּד בַּהּ־שַׁעֲתָא יִתְרְמֵא לְגֽוֹא־אַתּוּן נוּרָא יָקִדְתָּא׃

7 כָּל־קֳבֵל דְּנָה בֵּהּ־זִמְנָא כְּדִי שָׁמְעִין כָּל־עַמְמַיָּא קָל קַרְנָא מַשְׁרוֹקִיתָא
[קִיתָרֹס כ] (קַתְרוֹס ק) שַׂבְּכָא פְּסַנְטֵרִין וְכֹל זְנֵי זְמָרָא נָפְלִין כָּל־עַמְמַיָּא
אֻמַּיָּא וְלִשָּׁנַיָּא סָגְדִין לְצֶלֶם דַּהֲבָא דִּי הֲקֵים נְבוּכַדְנֶצַּר מַלְכָּא׃

맛싸성경

4 선포자(전령)가 힘주어 소리쳤다. "백성들이여, 나라들이여, (다른) 언어를 (쓰는) 자들이여, 당신들에게 명령되었다. 5 너희가 나팔과 피리와 수금과 하프와 양금과 백파이퍼와 모든 종류의 악기 소리를 들을 때 너희는 땅에 엎드려 느부갓네살 왕이 세운 금 동상에 (절하여) 경의를 표하라. 6 (땅에) 엎드리고 경의를 표하지 않는 자는 누구든지 즉시 타는 풀무불 안으로 던져질 것이다." 7 그러므로 이 모든 일로 인하여 나팔과 피리와 수금과 하프와 양금과 모든 종류의 악기 소리를 들을 때 모든 백성들과 나라(사람)들과 (다른) 언어를 (쓰는) 자들은 느부갓네살 왕이 세운 금 동상에 (절하여) 경의를 표하였다.

NET

4 Then the herald made a loud proclamation: "To you, O peoples, nations, and language groups, the following command is given: 5 When you hear the sound of the horn, flute, zither, trigon, harp, pipes, and all kinds of music, you must bow down and pay homage to the golden statue that King Nebuchadnezzar has erected. 6 Whoever does not bow down and pay homage will immediately be thrown into the midst of a furnace of blazing fire!" 7 Therefore when they all heard the sound of the horn, flute, zither, trigon, harp, pipes, and all kinds of music, all the peoples, nations, and language groups began bowing down and paying homage to the golden statue that King Nebuchadnezzar had erected.

3 WLC

8 כָּל־קֳבֵל דְּנָה בֵּהּ־זִמְנָא קְרִבוּ גֻּבְרִין כַּשְׂדָּאִין וַאֲכַלוּ קַרְצֵיהוֹן דִּי יְהוּדָיֵא׃

9 עֲנוֹ וְאָמְרִין לִנְבוּכַדְנֶצַּר מַלְכָּא מַלְכָּא לְעָלְמִין חֱיִי׃

10 [אַנְתָּה כ] (אַנְתְּ ק) מַלְכָּא שָׂמְתָּ טְּעֵם דִּי כָל־אֱנָשׁ דִּי־יִשְׁמַע קָל קַרְנָא מַשְׁרֹוקִיתָא [קִיתָרֹס כ] (קַתְרוֹס ק) שַׂבְּכָא פְסַנְתֵּרִין [וְסִיפֹּנְיָה כ] (וְסוּמְפֹּנְיָה ק) וְכֹל זְנֵי זְמָרָא יִפֵּל וְיִסְגֻּד לְצֶלֶם דַּהֲבָא׃

11 וּמַן־דִּי־לָא יִפֵּל וְיִסְגֻּד יִתְרְמֵא לְגוֹא־אַתּוּן נוּרָא יָקִדְתָּא׃

12 אִיתַי גֻּבְרִין יְהוּדָאִין דִּי־מַנִּיתָ יָתְהוֹן עַל־עֲבִידַת מְדִינַת בָּבֶל שַׁדְרַךְ מֵישַׁךְ וַעֲבֵד נְגוֹ גֻּבְרַיָּא אִלֵּךְ לָא־שָׂמוּ [עֲלַיִךְ כ] (עֲלָךְ ק) מַלְכָּא טְעֵם [לֵאלָהַיִךְ כ] (לֵאלָהָךְ ק) לָא פָלְחִין וּלְצֶלֶם דַּהֲבָא דִּי הֲקֵימְתָּ לָא סָגְדִין׃

ס

맛싸성경

8 그러므로 이 모든 일로 인하여 그때 어떤 갈대아 사람들이 앞으로 나왔고 그들이 유대인들 몇(사람)들을 중상모략하여 삼켰다. **9** 그들이 대답하여 느부갓네살 왕에게 말했다. "왕이시여, 만세 수를 하소서. **10** 왕이시여, 왕께서 명령을 내리셔서 나팔과 피리와 수금과 하프와 양금과 백파이퍼와 모든 종류의 악기 소리를 듣는 모든 사람들은 엎드려서 금 동상에 (절하여) 경의를 표하라(고 하셨습니다). **11** 그리고 (땅에) 엎드려 (절하여) 경의를 표하지 않는 자는 타는 풀무불 안으로 던져질 것이다(고 하셨습니다). **12** 유다에서 온 사람들이 있는데 (그들은) 바벨론 지방의 행정 일들을 위하여 (왕이) 임명한 자들로 사드락과 메삭과 아벳느고입니다. 이 사람들은 왕의 명령을 고려하지도 않았고 왕의 신들을 섬기지도 않았으며 왕이 세운 금 동상에 (절하여) 경의를 표하지도 않았습니다."

NET

8 Now at that time certain Chaldeans came forward and brought malicious accusations against the Jews. **9** They said to King Nebuchadnezzar, "O king, live forever! **10** You have issued an edict, O king, that everyone must bow down and pay homage to the golden statue when they hear the sound of the horn, flute, zither, trigon, harp, pipes, and all kinds of music. **11** And whoever does not bow down and pay homage must be thrown into the midst of a furnace of blazing fire. **12** But there are Jewish men whom you appointed over the administration of the province of Babylon—Shadrach, Meshach, and Abednego—and these men have not shown proper respect to you, O king. They don't serve your gods, and they don't pay homage to the golden statue that you have erected."

3 WLC

13 בֵּאדַיִן נְבוּכַדְנֶצַּר בִּרְגַז וַחֲמָה אֲמַר לְהַיְתָיָה לְשַׁדְרַךְ מֵישַׁךְ וַעֲבֵד נְגוֹ בֵּאדַיִן גֻּבְרַיָּא אִלֵּךְ הֵיתָיוּ קֳדָם מַלְכָּא׃

14 עָנֵה נְבֻכַדְנֶצַּר וְאָמַר לְהוֹן הַצְדָּא שַׁדְרַךְ מֵישַׁךְ וַעֲבֵד נְגוֹ לֵאלָהַי לָא אִיתֵיכוֹן פָּלְחִין וּלְצֶלֶם דַּהֲבָא דִּי הֲקֵימֶת לָא סָגְדִין׃

15 כְּעַן הֵן אִיתֵיכוֹן עֲתִידִין דִּי בְעִדָּנָא דִּי־תִשְׁמְעוּן קָל קַרְנָא מַשְׁרוֹקִיתָא [קִיתָרֹס כ] (קַתְרוֹס ק) שַׂבְּכָא פְּסַנְתֵּרִין וְסוּמְפֹּנְיָה וְכֹל ׀ זְנֵי זְמָרָא תִּפְּלוּן וְתִסְגְּדוּן לְצַלְמָא דִי־עַבְדֵת וְהֵן לָא תִסְגְּדוּן בַּהּ־שַׁעֲתָה תִתְרְמוֹן לְגוֹא־אַתּוּן נוּרָא יָקִדְתָּא וּמַן־הוּא אֱלָהּ דִּי יְשֵׁיזְבִנְכוֹן מִן־יְדָי׃

맛싸성경

13 그러자 느부갓네살은 격분과 분노함으로 사드락과 메삭과 아벳느고를 데려오라고 명령했다. 그래서 이 사람들은 왕 앞으로 오게 되었다. **14** 느부갓네살이 대답하여 그들에게 말했다. "사드락 메삭 아벳느고야, 너희가 내 신들을 섬기지 않았으며 또 내가 세운 금 동상에게 (절하여) 경의를 표하지도 않은 것이 사실이냐? **15** 만일 이제(라도) 너희들이 준비가 되어 있으면 너희가 나팔과 피리와 수금과 하프와 양금과 백파이퍼와 모든 종류의 악기 소리를 들을 때 너희가 엎드려 내가 만든 동상에게 (절하여) 경의를 표하면 (좋지만) 만일 너희가 (절하여) 경의를 표하지 않으면 그 순간에 너희는 타는 풀무불 안으로 던져질 것이다. 그러면 너희를 내 손에서부터 구출하여 낼 신이 누구이겠느냐?"

NET

13 Then Nebuchadnezzar in a fit of rage demanded that they bring Shadrach, Meshach, and Abednego before him. So they brought them before the king. **14** Nebuchadnezzar said to them, "Is it true, Shadrach, Meshach, and Abednego, that you don't serve my gods and that you don't pay homage to the golden statue that I erected? **15** Now if you are ready, when you hear the sound of the horn, flute, zither, trigon, harp, pipes, and all kinds of music, you must bow down and pay homage to the statue that I had made. If you don't pay homage to it, you will immediately be thrown into the midst of the furnace of blazing fire. Now, who is that god who can rescue you from my power?"

3 WLC

16 עֲנֹו שַׁדְרַךְ מֵישַׁךְ וַעֲבֵד נְגֹו וְאָמְרִין לְמַלְכָּא נְבוּכַדְנֶצַּר לָא־חַשְׁחִין
אֲנַחְנָה עַל־דְּנָה פִּתְגָם לַהֲתָבוּתָךְ׃
17 הֵן אִיתַי אֱלָהַנָא דִּי־אֲנַחְנָא פָּלְחִין יָכִל לְשֵׁיזָבוּתַנָא מִן־אַתּוּן נוּרָא
יָקִדְתָּא וּמִן־יְדָךְ מַלְכָּא יְשֵׁיזִב׃
18 וְהֵן לָא יְדִיעַ לֶהֱוֵא־לָךְ מַלְכָּא דִּי [לאלהיך כ] (לֵאלָהָךְ ק)
לָא־[אִיתַיְנָא כ] (אִיתַנָא ק) פָּלְחִין וּלְצֶלֶם דַּהֲבָא דִּי הֲקֵימְתָּ לָא נִסְגֻּד׃ ס

맛싸성경

16 사드락과 메삭과 아벳느고가 대답하여 왕에게 말했다. "느부갓네살이여, 우리는 이 명령에 관해서 왕께 대답해야 할 필요가 없나이다. **17** 만일 그리하여도 우리가 섬기는 우리 하나님이 우리를 구출하실 것입니다. 타는 풀무불에서도 왕의 손으로부터 그분이 (우리를) 구출하실 것입니다. **18** 왕이시여, 그러나 만일 그렇게 하시지 않아도 아실 것은 우리는 왕의 신들을 섬기지 않을 것이며 왕이 세우신 금 동상에게 (절하여) 경의를 표하지 않을 것입니다."

NET

16 Shadrach, Meshach, and Abednego replied to King Nebuchadnezzar, "We do not need to give you a reply concerning this. **17** If our God whom we are serving exists, he is able to rescue us from the furnace of blazing fire, and he will rescue us, O king, from your power as well. **18** But if he does not, let it be known to you, O king, that we don't serve your gods, and we will not pay homage to the golden statue that you have erected."

3 WLC

19 בֵּאדַיִן נְבוּכַדְנֶצַּר הִתְמְלִי חֱמָא וּצְלֵם אַנְפּוֹהִי [אֶשְׁתַּנּוּ כ] (אֶשְׁתַּנִּי ק) עַל־שַׁדְרַךְ מֵישַׁךְ וַעֲבֵד נְגוֹ עָנֵה וְאָמַר לְמֵזֵא לְאַתּוּנָא חַד־שִׁבְעָה עַל דִּי חֲזֵה לְמֵזְיֵהּ׃

20 וּלְגֻבְרִין גִּבָּרֵי־חַיִל דִּי בְחַיְלֵהּ אֲמַר לְכַפָּתָה לְשַׁדְרַךְ מֵישַׁךְ וַעֲבֵד נְגוֹ לְמִרְמֵא לְאַתּוּן נוּרָא יָקִדְתָּא׃

맛싸성경

19 그러자 느부갓네살은 분노가 가득 찼고 그의 얼굴이 사드락과 메삭과 아벳느고를 향해서 변했다. 그가 대답하였고 (보통) 온도(보다) 7 배나 풀무를 뜨겁게 하라고 명령했다. 20 그는 그의 군대 가운데 있는 강한 사람 중에 (어떤) 사람에게 명령하여 사드락과 메삭과 아벳느고를 묶어서 타는 풀무불에 (그들을) 던지라고 하였다.

NET

19 Then Nebuchadnezzar was filled with rage, and his disposition changed toward Shadrach, Meshach, and Abednego. He gave orders to heat the furnace seven times hotter than it was normally heated. 20 He ordered strong soldiers in his army to tie up Shadrach, Meshach, and Abednego and to throw them into the furnace of blazing fire.

3 WLC

21 בֵּאדַיִן גֻּבְרַיָּא אִלֵּךְ כְּפִתוּ בְּסַרְבָּלֵיהוֹן [פטישיהון כ] (פַּטְּשֵׁיהוֹן ק)
וְכַרְבְּלָתְהוֹן וּלְבֻשֵׁיהוֹן וּרְמִיו לְגוֹא־אַתּוּן נוּרָא יָקִדְתָּא׃
22 כָּל־קֳבֵל דְּנָה מִן־דִּי מִלַּת מַלְכָּא מַחְצְפָה וְאַתּוּנָא אֵזֵה יַתִּירָא גֻּבְרַיָּא
אִלֵּךְ דִּי הַסִּקוּ לְשַׁדְרַךְ מֵישַׁךְ וַעֲבֵד נְגוֹ קַטִּל הִמּוֹן שְׁבִיבָא דִּי נוּרָא׃
23 וְגֻבְרַיָּא אִלֵּךְ תְּלָתֵּהוֹן שַׁדְרַךְ מֵישַׁךְ וַעֲבֵד נְגוֹ נְפַלוּ לְגוֹא־אַתּוּן־נוּרָא
יָקִדְתָּא מְכַפְּתִין׃ פ

맛싸성경

21 그러자 이 사람들은 그들의 바지들과 그들의 옷들과 그들의 외투들과 그들의 옷들로 같이 묶여져 타는 풀무불 안으로 던져졌다. **22** 왕의 명령이 긴급한 이 이유로 인하여 그리고 풀무의 열을 매우 뜨겁게 하였기 때문에 그 타는 불화염이 사드락과 메삭과 아벳느고를 들었던 그들을 (태워) 죽였다. **23** 또 이 세 사람들 곧 사드락과 메삭과 아벳느고는 묶인 채로 타는 풀무불속으로 떨어졌다.

NET

21 So those men were tied up while still wearing their cloaks, trousers, turbans, and other clothes, and were thrown into the furnace of blazing fire. **22** But since the king's command was so urgent, and the furnace was so excessively hot, the men who escorted Shadrach, Meshach, and Abednego were killed by the leaping flames. **23** But those three men, Shadrach, Meshach, and Abednego, fell into the furnace of blazing fire while still securely bound.

3 WLC

24 אֱדַיִן נְבוּכַדְנֶצַּר מַלְכָּא תְּוַהּ וְקָם בְּהִתְבְּהָלָה עָנֵה וְאָמַר לְהַדָּבְרוֹהִי הֲלָא גֻבְרִין תְּלָתָא רְמֵינָא לְגוֹא־נוּרָא מְכַפְּתִין עָנַיִן וְאָמְרִין לְמַלְכָּא יַצִּיבָא מַלְכָּא׃

25 עָנֵה וְאָמַר הָא־אֲנָה חָזֵה גֻּבְרִין אַרְבְּעָה שְׁרַיִן מַהְלְכִין בְּגוֹא־נוּרָא וַחֲבָל לָא־אִיתַי בְּהוֹן וְרֵוֵהּ דִּי [רְבִיעָיָא כ] (רְבִיעָאָה ק) דָּמֵה לְבַר־אֱלָהִין׃ ס

맛싸성경

24 그때 느부갓네살 왕은 놀랐고 겁에 질려서 일어났다. 그가 (대답하여) 물어 고문관들에게 말했다. "우리가 불속으로 묶어 던진 자들은 세 사람이 아니냐?" 그들이 대답하여 왕에게 말했다. "왕이시여, (그것이) 사실입니다." 25 그가 대답하여 말했다. "보아라, 내가 그 불 가운데 묶이지 않고 걸어 다니는 네 사람들을 보고 있으며 그들 가운데에는 상함도 있지 않다. 네 번째 (사람)의 그의 모양은 하나님의 아들과 모양이 같다."

NET

24 Then King Nebuchadnezzar was startled and quickly got up. He said to his ministers, "Wasn't it three men that we tied up and threw into the fire?" They replied to the king, "For sure, O king." **25** He answered, "But I see four men, untied and walking around in the midst of the fire! No harm has come to them! And the appearance of the fourth is like that of a god!"

3 WLC

26 בֵּאדַיִן קְרֵב נְבוּכַדְנֶצַּר לִתְרַע אַתּוּן נוּרָא יָקִדְתָּא עָנֵה וְאָמַר שַׁדְרַךְ מֵישַׁךְ וַעֲבֵד־נְגוֹ עַבְדוֹהִי דִּי־אֱלָהָא [עִלָּיָא כ] (עִלָּאָה ק) פֻּקוּ וֶאֱתוֹ בֵּאדַיִן נָפְקִין שַׁדְרַךְ מֵישַׁךְ וַעֲבֵד נְגוֹ מִן־גּוֹא נוּרָא׃

27 וּמִתְכַּנְּשִׁין אֲחַשְׁדַּרְפְּנַיָּא סִגְנַיָּא וּפַחֲוָתָא וְהַדָּבְרֵי מַלְכָּא חָזַיִן לְגֻבְרַיָּא אִלֵּךְ דִּי לָא־שְׁלֵט נוּרָא בְּגֶשְׁמְהוֹן וּשְׂעַר רֵאשְׁהוֹן לָא הִתְחָרַךְ וְסָרְבָּלֵיהוֹן לָא שְׁנוֹ וְרֵיחַ נוּר לָא עֲדָת בְּהוֹן׃

맛싸성경

26 그때 느부갓네살은 타는 풀무불 입구로 가까이 가서 그가 대답하여 말했다. "가장 높으신 하나님의 종들 사드락 메삭 아벳느고야, 나와라. 이리 오라." 그러자 사드락과 메삭과 아벳느고는 불속에서부터 나왔다. 27 함께 모인 총독들과 주지사들과 도지사들과 왕의 고문관들은 이 사람들을 보았고 불이 그들의 몸을 주관하지도 못하며 그들의 머리들의 머리카락도 그슬리지 않은 것과 그들의 옷(바지)이 변하지 않은 것을 보았다. 불 냄새도 그들을 건들지 않았다.

NET

26 Then Nebuchadnezzar approached the door of the furnace of blazing fire. He called out, "Shadrach, Meshach, and Abednego, servants of the most high God, come out! Come here!" Then Shadrach, Meshach, and Abednego emerged from the fire. 27 Once the satraps, prefects, governors, and ministers of the king had gathered around, they saw that those men were physically unharmed by the fire. The hair of their heads was not singed, nor were their trousers damaged. Not even the smell of fire was to be found on them!

3 WLC

28 עָנֵה נְבוּכַדְנֶצַּר וְאָמַר בְּרִיךְ אֱלָהֲהוֹן דִּי־שַׁדְרַךְ מֵישַׁךְ וַעֲבֵד נְגוֹ דִּי־שְׁלַח מַלְאֲכֵהּ וְשֵׁיזִב לְעַבְדוֹהִי דִּי הִתְרְחִצוּ עֲלוֹהִי וּמִלַּת מַלְכָּא שַׁנִּיו וִיהַבוּ [גֶשְׁמֵיהוֹן כ] (גֶשְׁמְהוֹן ק) דִּי לָא־יִפְלְחוּן וְלָא־יִסְגְּדוּן לְכָל־אֱלָהּ לָהֵן לֵאלָהֲהוֹן׃

29 וּמִנִּי שִׂים טְעֵם דִּי כָל־עַם אֻמָּה וְלִשָּׁן דִּי־יֵאמַר [שֵׁלָה כ] (שָׁלוּ ק) עַל אֱלָהֲהוֹן דִּי־שַׁדְרַךְ מֵישַׁךְ וַעֲבֵד נְגוֹא הַדָּמִין יִתְעֲבֵד וּבַיְתֵהּ נְוָלִי יִשְׁתַּוֵּה כָּל־קֳבֵל דִּי לָא אִיתַי אֱלָה אָחֳרָן דִּי־יִכֻּל לְהַצָּלָה כִּדְנָה׃

30 בֵּאדַיִן מַלְכָּא הַצְלַח לְשַׁדְרַךְ מֵישַׁךְ וַעֲבֵד נְגוֹ בִּמְדִינַת בָּבֶל׃ פ

맛싸성경

28 느부갓네살이 대답하여 (그가) 말했다. "사드락과 메삭과 아벳느고 그들의 하나님을 송축하여라. 그분은 그분의 천사를 보내셔서 그분을 신뢰하는 자기 종들을 구출하셨다. (그들은) 왕의 명령을 거역하고 그들이 그들의 하나님 (외에) 어떤 신을 섬기거나 그들에게 (절하여) 경의를 표하는 것보다 그들의 몸을 내어주었다. 29 그러므로 내가 명령을 내리니 모든 백성과 나라들과 모든 (다른) 언어를 쓰는 사람들은 사드락과 메삭과 아벳느고 그들의 하나님께 부주의하면 조각으로 잘리고 그의 집은 쓰레기 무더기같이 될 것이다. 이는 이 모든 일로 인하여 이같이 구출할 수 있는 다른 신이 없기 때문이다." 30 그러자 왕은 사드락과 메삭과 아벳느고를 바벨론의 지방에서 더욱 잘나가게 하였다.

NET

28 Nebuchadnezzar exclaimed, "Praised be the God of Shadrach, Meshach, and Abednego, who has sent forth his angel and has rescued his servants who trusted in him, ignoring the edict of the king and giving up their bodies rather than serve or pay homage to any god other than their God! 29 I hereby decree that any people, nation, or language group that blasphemes the God of Shadrach, Meshach, or Abednego will be dismembered and his home reduced to rubble! For there exists no other god who can deliver in this way." 30 Then Nebuchadnezzar promoted Shadrach, Meshach, and Abednego in the province of Babylon.

3 WLC

31 נְבוּכַדְנֶצַּר מַלְכָּא לְכָל־עַמְמַיָּא אֻמַיָּא וְלִשָּׁנַיָּא דִּי־[דארין כ] (דָיְרִין ק) בְּכָל־אַרְעָא שְׁלָמְכוֹן יִשְׂגֵּא׃

32 אָתַיָּא וְתִמְהַיָּא דִּי עֲבַד עִמִּי אֱלָהָא [עליא כ] (עִלָּאָה ק) שְׁפַר קָדָמַי לְהַחֲוָיָה׃

33 אָתוֹהִי כְּמָה רַבְרְבִין וְתִמְהוֹהִי כְּמָה תַקִּיפִין מַלְכוּתֵהּ מַלְכוּת עָלַם וְשָׁלְטָנֵהּ עִם־דָּר וְדָר׃

맛싸성경

4:1 (아, 3:31) 느부갓네살 왕은 모든 땅에 거하는 모든 백성과 나라들과 모든 (다른) 언어를 쓰는 사람들에게 (조서를 내렸다). 너희에게 평화가 풍성하기를 원한다. **4:2 (아, 3:32)** 가장 높으신 하나님이 나에게 행하신 표적들과 놀라운 일들에 (관해서) (너희들에게) 보이는 것이 내게는 좋다. **4:3 (아, 3:33)** 그의 표적들은 얼마나 위대하고 그의 놀라운 일들이 얼마나 강한 것들인가? 그의 왕국은 영원한 왕국이며 그의 통치는 세대와 세대를 이른다.

NET

4:1 (3:31) King Nebuchadnezzar, to all peoples, nations, and language groups that live in all the land: "Peace and prosperity! **2 (3:32)** I am delighted to tell you about the signs and wonders that the most high God has done for me. **3 (3:33)** "How great are his signs! How mighty are his wonders! His kingdom will last forever, and his authority continues from one generation to the next."

* '아람어'는 '아'로 표기하였음.

4 WLC

1 אֲנָה נְבוּכַדְנֶצַּר שְׁלֵה הֲוֵית בְּבֵיתִי וְרַעְנַן בְּהֵיכְלִי׃

2 חֵלֶם חֲזֵית וִידַחֲלִנַּנִי וְהַרְהֹרִין עַל־מִשְׁכְּבִי וְחֶזְוֵי רֵאשִׁי יְבַהֲלֻנַּנִי׃

3 וּמִנִּי שִׂים טְעֵם לְהַנְעָלָה קָדָמַי לְכֹל חַכִּימֵי בָבֶל דִּי־פְשַׁר חֶלְמָא יְהוֹדְעֻנַּנִי׃

4 בֵּאדַיִן [עָלְלִין כ] (עָלִּין ק) חַרְטֻמַיָּא אָשְׁפַיָּא [כַּשְׂדָּיֵא כ] (כַּשְׂדָּאֵי ק) וְגָזְרַיָּא וְחֶלְמָא אָמַר אֲנָה קֳדָמֵיהוֹן וּפִשְׁרֵהּ לָא־מְהוֹדְעִין לִי׃

맛싸성경

4:4 (아, 4:1) 나 느부갓네살은 내 집에 편안히 있었고 나는 내 궁전에서 건강하게 지내고 있었다. **4:5 (아, 4:2)** 내가 한 꿈을 보았고 그것이 나를 놀라게 하였으며 내 침상에서의 환상들과 내 머리의 환상들이 나를 두렵게 하였다. **4:6 (아, 4:3)** 그래서 (나는) 명령을 내려 나로부터 바벨론의 모든 지혜로운 자들을 내 앞에 데려와서 그들로 그 꿈의 해석을 내게 알게 하도록 하였다. **4:7 (아, 4:4)** 그러자 점쟁이들과 마술사들과 바벨론의 지혜자들과 점술가들이 들어왔고 나는 그들 앞에서 그 꿈을 말했으나 그 해석을 내게 알게 하지 못했다.

NET

4 (4:1) I, Nebuchadnezzar, was relaxing in my home, living luxuriously in my palace. **5 (2)** I saw a dream that frightened me badly. The things I imagined while lying on my bed—these visions of my mind—were terrifying me. **6 (3)** So I issued an order for all the wise men of Babylon to be brought before me so that they could make known to me the interpretation of the dream. **7 (4)** When the magicians, astrologers, wise men, and diviners entered, I recounted the dream for them. But they were unable to make known its interpretation to me.

* '아람어'는 '아'로 표기하였음.

4 WLC

5 וְעַד אָחֳרֵין עַל קָדָמַי דָּנִיֵּאל דִּי־שְׁמֵהּ בֵּלְטְשַׁאצַּר כְּשֻׁם אֱלָהִי וְדִי רוּחַ־אֱלָהִין קַדִּישִׁין בֵּהּ וְחֶלְמָא קָדָמוֹהִי אַמְרֵת׃

6 בֵּלְטְשַׁאצַּר רַב חַרְטֻמַיָּא דִּי ׀ אֲנָה יִדְעֵת דִּי רוּחַ אֱלָהִין קַדִּישִׁין בָּךְ וְכָל־רָז לָא־אָנֵס לָךְ חֶזְוֵי חֶלְמִי דִי־חֲזֵית וּפִשְׁרֵהּ אֱמַר׃

7 וְחֶזְוֵי רֵאשִׁי עַל־מִשְׁכְּבִי חָזֵה הֲוֵית וַאֲלוּ אִילָן בְּגוֹא אַרְעָא וְרוּמֵהּ שַׂגִּיא׃

8 רְבָה אִילָנָא וּתְקִף וְרוּמֵהּ יִמְטֵא לִשְׁמַיָּא וַחֲזוֹתֵהּ לְסוֹף כָּל־אַרְעָא׃

9 עָפְיֵהּ שַׁפִּיר וְאִנְבֵּהּ שַׂגִּיא וּמָזוֹן לְכֹלָּא־בֵהּ תְּחֹתוֹהִי תַּטְלֵל ׀ חֵיוַת בָּרָא וּבְעַנְפוֹהִי [יְדֻרוּן כ] (יְדוּרָן ק) צִפֲּרֵי שְׁמַיָּא וּמִנֵּהּ יִתְּזִין כָּל־בִּשְׂרָא׃

맛싸성경

4:8 (아, 4:5) 마지막으로 다니엘이 내 앞으로 들어왔고 그의 이름은 내 신의 이름같이 벨드사살이었으며 그의 안에는 거룩한 신들의 영이 있었다. 나는 그 앞에서 그 꿈을 말했다. **4:9 (아, 4:6)** 점쟁이들의 대장이 되는 벨드사살아, 내가 아노니 네게는 거룩한 신들의 영이 있으며 어떤 비밀도 너를 어렵게 하지 않는다. 내가 본 꿈의 환상과 그 해석을 내게 말하라. **4:10 (아, 4:7)** 내 침상에서 나의 머리의 환상이라. 나는 보고 있었고 보아라, 땅 가운데에 나무가 있었고 그 높이는 매우 높았다. **4:11 (아, 4:8)** 그 나무는 크게 자랐고 그것은 강해졌다. 그 키는 하늘에 이르렀고 그 모습은 모든 땅의 끝까지 이르렀다. **4:12 (아, 4:9)** 그것의 잎은 아름다웠고 그것의 열매는 많았으며 그것(나무)에는 모든 것들을 위한 음식이 있었다. 들판의 짐승이 그 아래서 그늘을 찾았고 그 가지에서는 하늘의 새들이 거하였고 모든 생물들이 그것에서부터 먹이를 먹었다.

NET

8 (5) Later Daniel entered (whose name is Belteshazzar after the name of my god, and in whom there is a spirit of the holy gods). I recounted the dream for him as well, **9 (6)** saying, "Belteshazzar, chief of the magicians, in whom I know there to be a spirit of the holy gods and whom no mystery baffles, consider my dream that I saw and set forth its interpretation! **10 (7)** Here are the visions of my mind while I was on my bed. "While I was watching, there was a tree in the middle of the land. It was enormously tall. **11 (8)** The tree grew large and strong. Its top reached far into the sky; it could be seen from the borders of all the land. **12 (9)** Its foliage was attractive and its fruit plentiful; on it there was food enough for all. Under it the wild animals used to seek shade, and in its branches the birds of the sky used to nest. All creatures used to feed themselves from it.

* '아람어'는 '아'로 표기하였음.

4 WLC

10 חָזֵה הֲוֵית בְּחֶזְוֵי רֵאשִׁי עַל־מִשְׁכְּבִי וַאֲלוּ עִיר וְקַדִּישׁ מִן־שְׁמַיָּא נָחִת׃

11 קָרֵא בְחַיִל וְכֵן אָמַר גֹּדּוּ אִילָנָא וְקַצִּצוּ עַנְפוֹהִי אַתַּרוּ עָפְיֵהּ וּבַדַּרוּ אִנְבֵּהּ תְּנֻד חֵיוְתָא מִן־תַּחְתּוֹהִי וְצִפְּרַיָּא מִן־עַנְפוֹהִי׃

12 בְּרַם עִקַּר שָׁרְשׁוֹהִי בְּאַרְעָא שְׁבֻקוּ וּבֶאֱסוּר דִּי־פַרְזֶל וּנְחָשׁ בְּדִתְאָא דִּי בָרָא וּבְטַל שְׁמַיָּא יִצְטַבַּע וְעִם־חֵיוְתָא חֲלָקֵהּ בַּעֲשַׂב אַרְעָא׃

13 לִבְבֵהּ מִן־[אֱנוֹשָׁא כ] (אֲנָשָׁא ק) יְשַׁנּוֹן וּלְבַב חֵיוָה יִתְיְהִב לֵהּ וְשִׁבְעָה עִדָּנִין יַחְלְפוּן עֲלוֹהִי׃

맛싸성경

4:13 (아, 4:10) "내 침상에 내 머리의 환상을 내가 보고 있는데 보아라, 한 천사가 있는데 그는 하늘에서부터 내려온 거룩한 자였다. **4:14 (아, 4:11)** 그는 힘주어 소리 질렀고 그는 이렇게 말했다. '그 나무를 자르고 그 가지들을 치며 그 잎을 벗겨 버리고 그 열매를 떨어트려 버려라. 동물들이 그 아래서 새들이 가지들로부터 도망가게 하여라. **4:15 (아, 4:12)** 그러나 그 뿌리들의 그루터기는 그 땅속에 남겨 두고 (그것을) 철과 놋쇠의 줄로 (매고) 그것을 들판의 풀 속에 두라. 하늘의 이슬로 그것이 적셔지게 하고 그의 몫은 (다른) 생물들과 함께 그 땅의 풀과 있게 하여라. **4:16 (아, 4:13)** 그의 마음은 사람의 (마음)에서 변하게 하여 짐승의 마음이 그에게 주어지게 하고 그의 위로 일곱 시기가 지나가게 하여라.

NET

13 (10) "While I was watching in my mind's visions on my bed, a holy sentinel came down from heaven. **14 (11)** He called out loudly as follows: 'Chop down the tree and lop off its branches! Strip off its foliage and scatter its fruit! Let the animals flee from under it and the birds from its branches. **15 (12)** But leave its taproot in the ground, with a band of iron and bronze around it surrounded by the grass of the field. Let it become damp with the dew of the sky, and let it live with the animals in the grass of the land. **16 (13)** Let his mind be altered from that of a human being, and let an animal's mind be given to him, and let seven periods of time go by for him.

* '아람어'는 '아'로 표기하였음.

4 WLC

14 בִּגְזֵרַת עִירִין פִּתְגָמָא וּמֵאמַר קַדִּישִׁין שְׁאֵלְתָא עַד־דִּבְרַת דִּי יִנְדְּעוּן חַיַּיָּא
דִּי־שַׁלִּיט [עִלָּיָא כ] (עִלָּאָה ק) בְּמַלְכוּת [אֱנוֹשָׁא כ] (אֲנָשָׁא ק) וּלְמַן־דִּי
יִצְבֵּא יִתְּנִנַּהּ וּשְׁפַל אֲנָשִׁים יְקִים [עֲלַיַּהּ כ] (עֲלַהּ ק)׃

15 דְּנָה חֶלְמָא חֲזֵית אֲנָה מַלְכָּא נְבוּכַדְנֶצַּר [וְאַנְתָּה כ] (וְאַנְתְּ ק)
בֵּלְטְשַׁאצַּר פִּשְׁרֵא ׀ אֱמַר כָּל־קֳבֵל דִּי ׀ כָּל־חַכִּימֵי מַלְכוּתִי לָא־יָכְלִין
פִּשְׁרָא לְהוֹדָעֻתַנִי [וְאַנְתָּה כ] (וְאַנְתְּ ק) כָּהֵל דִּי רוּחַ־אֱלָהִין קַדִּישִׁין בָּךְ׃

맛싸성경

4:17 (아, 4:14) 이 법령은 천사들의 알림과 거룩한 자들의 요구로 명령된 것이다. (이는) 가장 높으신 분이 인간의 왕국을 다스리시고 그분은 그가 기뻐하시는 자에게 (그것을) 주시며 그분은 사람들 (중)에 낮은 자들을 그 위에 세우신다는 것을 살아있는 자들로 알게 하려는 이유이다. **4:18 (아, 4:15)** 이것이 나 느부갓네살 왕이 본 꿈이라. 너 벨드사살아, 그 해석을 말하라. 왜냐하면 내 왕국의 모든 지혜로운 자들이 그 해석을 내게 알려 줄 수 없었으나 너는 할 수 있으니 거룩한 신들의 영이 네 안에 있기 때문이라."

NET

17 (14) This announcement is by the decree of the sentinels; this decision is by the pronouncement of the holy ones, so that those who are alive may understand that the Most High has authority over human kingdoms, and he bestows them on whomever he wishes. He establishes over them even the lowliest of human beings.' **18 (15)** "This is the dream that I, King Nebuchadnezzar, saw. Now you, Belteshazzar, declare its interpretation, for none of the wise men in my kingdom are able to make known to me the interpretation. But you can do so, for a spirit of the holy gods is in you."

* '아람어'는 '아'로 표기하였음.

4 WLC

16 אֱדַיִן דָּנִיֵּאל דִּי־שְׁמֵהּ בֵּלְטְשַׁאצַּר אֶשְׁתּוֹמַם כְּשָׁעָה חֲדָה וְרַעְיֹנֹהִי יְבַהֲלֻנֵּהּ עָנֵה מַלְכָּא וְאָמַר בֵּלְטְשַׁאצַּר חֶלְמָא וּפִשְׁרֵא אַל־יְבַהֲלָךְ עָנֵה בֵלְטְשַׁאצַּר וְאָמַר [מָרְאִי כ] (מָרִי ק) חֶלְמָא [לְשָׂנְאַיִךְ כ] (לְשָׂנְאָךְ ק) וּפִשְׁרֵהּ [לְעָרַיִךְ כ] (לְעָרָךְ ק)׃

17 אִילָנָא דִּי חֲזַיְתָ דִּי רְבָה וּתְקִף וְרוּמֵהּ יִמְטֵא לִשְׁמַיָּא וַחֲזוֹתֵהּ לְכָל־אַרְעָא׃

18 וְעָפְיֵהּ שַׁפִּיר וְאִנְבֵּהּ שַׂגִּיא וּמָזוֹן לְכֹלָּא־בֵהּ תְּחֹתוֹהִי תְּדוּר חֵיוַת בָּרָא וּבְעַנְפוֹהִי יִשְׁכְּנָן צִפֲּרֵי שְׁמַיָּא׃

19 [אַנְתָּה כ] (אַנְתְּ ק) הוּא מַלְכָּא דִּי רְבַית וּתְקֵפְתְּ וּרְבוּתָךְ רְבָת וּמְטָת לִשְׁמַיָּא וְשָׁלְטָנָךְ לְסוֹף אַרְעָא׃

맛싸성경

4:19 (아, 4:16) 그러자 그 이름이 벨드사살인 다니엘은 잠깐 놀랐으며 그의 생각이 그를 놀라게 하였다. (그래서) 왕이 대답하여 말했다. "벨드사살아, 그 꿈과 그 해석이 너를 놀라게 하지 마라." 벨드사살이 대답하여 그가 말했다. "나의 주시여! 그 꿈이 왕의 원수들을 위한 것이며 그 해석도 왕의 대적들을 위한 것이기를 원하나이다. **4:20 (아, 4:17)** 왕이 보신 그 나무가 크게 자랐고 강해졌으며 그 키는 하늘에 이르렀고 그것(외관)은 모든 땅에 이르렀으며 **4:21 (아, 4:18)** 그것의 잎은 아름다웠고 그것의 열매는 많았으며 그것(나무)에는 모든 것들을 위한 음식이 있었습니다. 들판의 짐승이 그 아래서 그늘을 찾았고 그 가지에서는 하늘의 새들이 거하였습니다. **4:22 (아, 4:19)** 왕이시여, 그것(나무)은 왕이십니다. (이는) 왕이 위대하게 (크게) 되었고 강해졌기 때문입니다. 왕의 위대함이 커졌고 그것이 하늘에 닿았으며 왕의 통치가 땅의 끝까지 이르렀음입니다.

* '아람어'는 '아'로 표기하였음.

NET

19 (16) Then Daniel (whose name is also Belteshazzar) was upset for a brief time; his thoughts were alarming him. The king said, "Belteshazzar, don't let the dream and its interpretation alarm you." But Belteshazzar replied, "Sir, if only the dream were for your enemies and its interpretation applied to your adversaries! **20 (17)** The tree that you saw that grew large and strong, whose top reached to the sky, and that could be seen in all the land, **21 (18)** whose foliage was attractive and its fruit plentiful, and from which there was food available for all, under whose branches wild animals used to live, and in whose branches birds of the sky used to nest— **22 (19)** it is you, O king! For you have become great and strong. Your greatness is such that it reaches to heaven and your authority to the ends of the earth.

4 WLC

20 וְדִי חֲזָה מַלְכָּא עִיר וְקַדִּישׁ נָחִת ׀ מִן־שְׁמַיָּא וְאָמַר גֹּדּוּ אִילָנָא וְחַבְּלוּהִי בְּרַם עִקַּר שָׁרְשׁוֹהִי בְּאַרְעָא שְׁבֻקוּ וּבֶאֱסוּר דִּי־פַרְזֶל וּנְחָשׁ בְּדִתְאָא דִּי בָרָא וּבְטַל שְׁמַיָּא יִצְטַבַּע וְעִם־חֵיוַת בָּרָא חֲלָקֵהּ עַד דִּי־שִׁבְעָה עִדָּנִין יַחְלְפוּן עֲלוֹהִי׃

21 דְּנָה פִשְׁרָא מַלְכָּא וּגְזֵרַת [עִלָּיָא כ] (עִלָּאָה ק) הִיא דִּי מְטָת עַל־[מַרְאִי כ] (מָרִי ק) מַלְכָּא׃

22 וְלָךְ טָרְדִין מִן־אֲנָשָׁא וְעִם־חֵיוַת בָּרָא לֶהֱוֵה מְדֹרָךְ וְעִשְׂבָּא כְתוֹרִין ׀ לָךְ יְטַעֲמוּן וּמִטַּל שְׁמַיָּא לָךְ מְצַבְּעִין וְשִׁבְעָה עִדָּנִין יַחְלְפוּן עֲלָךְ עַד דִּי־תִנְדַּע דִּי־שַׁלִּיט עִלָּיָא בְּמַלְכוּת אֲנָשָׁא וּלְמַן־דִּי יִצְבֵּא יִתְּנִנַּהּ׃

맛싸성경

4:23 (아, 4:20) 또 왕께서 보신 한 천사 (그는) 거룩한 자로 하늘에서부터 내려와 그가 말했습니다. '그 나무를 자르고 그것을 파괴하라. 그러나 그 뿌리들의 그루터기는 그 땅속에 남겨 두고 (그것을) 철과 놋쇠의 줄로 매며 그것을 들판의 풀 속에 두라. 하늘의 이슬로 그것이 적셔지게 하고 들판의 짐승과 함께 그의 몫이 일곱 시기가 그에게 지나가게 하여라.' **4:24 (아, 4:21)** 왕이시여, 이것이 그 해석입니다. 이것이 가장 높으신 분의 법령이며 내 주 왕에게 이른 것입니다. **4:25 (아, 4:22)** 왕께서 사람들로부터 쫓겨날 것이고 왕께서 거하시는 장소는 들짐승과 함께 있을 것이며 소들같이 왕에게 풀을 먹게 할 것이고 하늘(들)의 이슬로 왕께서 적시게 되며 일곱 시기가 지나갈 것입니다. (그때에야) 왕께서 가장 높으신 분이 인간의 왕국을 다스린다는 것과 그분이 기뻐하는 대로 그것을 주신다는 것을 알게 될 것입니다.

NET

23 (20) As for the king seeing a holy sentinel coming down from heaven and saying, 'Chop down the tree and destroy it, but leave its taproot in the ground, with a band of iron and bronze around it, surrounded by the grass of the field. Let it become damp with the dew of the sky, and let it live with the wild animals, until seven periods of time go by for him'— **24 (21)** this is the interpretation, O king. It is the decision of the Most High that this has happened to my lord the king. **25 (22)** You will be driven from human society, and you will live with the wild animals. You will be fed grass like oxen, and you will become damp with the dew of the sky. Seven periods of time will pass by for you before you understand that the Most High is ruler over human kingdoms and gives them to whomever he wishes.

* '아람어'는 '아'로 표기하였음.

4 WLC

23 וְדִי אֲמַרוּ לְמִשְׁבַּק עִקַּר שָׁרְשׁוֹהִי דִּי אִילָנָא מַלְכוּתָךְ לָךְ קַיָּמָה מִן־דִּי תִנְדַּע דִּי שַׁלִּטִן שְׁמַיָּא׃

24 לָהֵן מַלְכָּא מִלְכִּי יִשְׁפַּר [עֲלַיִךְ כ] (עֲלָךְ ק) [וַחֲטָיָךְ כ] (וַחֲטָאָךְ ק) בְּצִדְקָה פְרֻק וַעֲוָיָתָךְ בְּמִחַן עֲנָיִן הֵן תֶּהֱוֵא אַרְכָה לִשְׁלֵוְתָךְ׃

25 כֹּלָּא מְטָא עַל־נְבוּכַדְנֶצַּר מַלְכָּא׃ פ

맛싸성경

4:26 (아, 4:23) 또 나무의 뿌리들의 그루터기를 남겨 두라고 그들이 말한 것은 왕의 왕국이 당신께 남아 있을 것이니 (곧) 하늘이 통치한다는 것을 왕께서 알게 되는 때입니다. **4:27 (아, 4:24)** 그러므로 왕이시여, 내 조언이 왕에게 좋게 보이기를 (바라며) 의로 왕의 죄를 끊으시고 가난한 자들에게 은혜로 베풂으로 왕의 불의를 끊으소서. 그리하시면 혹시 왕의 평안함이 길어질까 합니다." **4:28 (아, 4:25)** 이 모든 일들이 느부갓네살 왕에게 이르렀다.

NET

26 (23) They said to leave the taproot of the tree, for your kingdom will be restored to you when you come to understand that heaven rules. **27 (24)** Therefore, O king, may my advice be pleasing to you. Break away from your sins by doing what is right, and from your iniquities by showing mercy to the poor. Perhaps your prosperity will be prolonged." **28 (25)** Now all this happened to King Nebuchadnezzar.

* '아람어'는 '아'로 표기하였음.

4 WLC

26 לִקְצָת יַרְחִין תְּרֵי־עֲשַׂר עַל־הֵיכַל מַלְכוּתָא דִּי בָבֶל מְהַלֵּךְ הֲוָה׃

27 עָנֵה מַלְכָּא וְאָמַר הֲלָא דָא־הִיא בָּבֶל רַבְּתָא דִּי־אֲנָה בֱנַיְתַהּ לְבֵית
מַלְכוּ בִּתְקַף חִסְנִי וְלִיקָר הַדְרִי׃

28 עוֹד מִלְּתָא בְּפֻם מַלְכָּא קָל מִן־שְׁמַיָּא נְפַל לָךְ אָמְרִין נְבוּכַדְנֶצַּר מַלְכָּא
מַלְכוּתָה עֲדָת מִנָּךְ׃

맛싸성경

4:29 (아, 4:26) 열두 달들의 끝에 그가 바벨론 왕국의 궁전에서 걷고 있었으며 **4:30 (아, 4:27)** 왕은 대답하여 말했다. "이 위대한 바벨론은 내가 나의 능력의 힘과 나의 위엄의 영광을 위해서 왕국의 집으로 내가 이것을 건설한 것이 아니냐?" **4:31 (아, 4:28)** 왕의 입에 그 말이 아직 있을 때 한 음성이 하늘(들)에서부터 내려왔다. "느부갓네살 왕아, 네게 (주어지는) 말들이다. 왕국이 네게서부터 떠났으니

NET

29 (26) After 12 months, he happened to be walking around on the battlements of the royal palace of Babylon. **30 (27)** The king uttered these words: "Is this not the great Babylon that I have built for a royal residence by my own mighty strength and for my majestic honor?" **31 (28)** While these words were still on the king's lips, a voice came down from heaven: "It is hereby announced to you, King Nebuchadnezzar, that your kingdom has been removed from you!

* '아람어'는 '아'로 표기하였음.

4 WLC

29 וּמִן־אֲנָשָׁא לָךְ טָרְדִין וְעִם־חֵיוַת בָּרָא מְדֹרָךְ עִשְׂבָּא כְתוֹרִין לָךְ יְטַעֲמוּן
וְשִׁבְעָה עִדָּנִין יַחְלְפוּן [עֲלַיִךְ כ] (עֲלָךְ ק) עַד דִּי־תִנְדַּע דִּי־שַׁלִּיט עִלָּיָא
בְּמַלְכוּת אֲנָשָׁא וּלְמַן־דִּי יִצְבֵּא יִתְּנִנַּהּ׃

30 בַּהּ־שַׁעֲתָא מִלְּתָא סָפַת עַל־נְבוּכַדְנֶצַּר וּמִן־אֲנָשָׁא טְרִיד וְעִשְׂבָּא כְתוֹרִין
יֵאכֻל וּמִטַּל שְׁמַיָּא גִּשְׁמֵהּ יִצְטַבַּע עַד דִּי שַׂעְרֵהּ כְּנִשְׁרִין רְבָה וְטִפְרוֹהִי
כְצִפְּרִין׃

31 וְלִקְצָת יוֹמַיָּה אֲנָה נְבוּכַדְנֶצַּר עַיְנַי ׀ לִשְׁמַיָּא נִטְלֵת וּמַנְדְּעִי עֲלַי יְתוּב
[וּלְעִלָּיָא כ] (וּלְעִלָּאָה ק) בָּרְכֵת וּלְחַי עָלְמָא שַׁבְּחֵת וְהַדְּרֵת דִּי שָׁלְטָנֵהּ
שָׁלְטָן עָלַם וּמַלְכוּתֵהּ עִם־דָּר וְדָר׃

맛싸성경

4:32 (아, 4:29) 사람들로부터 너는 쫓겨날 것이고 들판의 짐승과 함께 네 거하는 장소가 되며 소같이 너는 풀을 먹고 일곱 시기가 지나갈 것이라. 가장 높으신 분이 인간의 왕국을 다스린다는 것과 그분이 기뻐하는 대로 그것(왕국)을 주신다는 것을 네가 알게 될 때까지이다." **4:33 (아, 4:30)** 그 일이 느부갓네살에게 성취된 그때 그는 사람들에게서 쫓겨났고 그는 소들처럼 풀을 먹었으며 하늘의 이슬에서부터 그의 몸을 적셨다. 그의 머리카락이 독수리들 (털)같이 자랐고 그의 손톱이 새들(의 것)같이 되었다. **4:34 (아, 4:31)** 그날들의 마지막에 나 느부갓네살은 내 눈들을 하늘을 향해서 들었고 나의 이해력이 내게로 돌아왔으며 나는 가장 높으신 분을 송축하였고 영원히 살아계신 분께 찬미하였으며 내가 (그분께) 영광을 돌렸다. 곧 그분의 통치는 영원한 통치이고 그분의 왕국은 대대에 이른다.

NET

32 (29) You will be driven from human society, and you will live with the wild animals. You will be fed grass like oxen, and seven periods of time will pass by for you before you understand that the Most High is ruler over human kingdoms and gives them to whomever he wishes." **33 (30)** Now in that very moment this pronouncement about Nebuchadnezzar came true. He was driven from human society, he ate grass like oxen, and his body became damp with the dew of the sky, until his hair became long like an eagle's feathers and his nails like a bird's claws. **34 (31)** But at the end of the appointed time I, Nebuchadnezzar, looked up toward heaven, and my sanity returned to me. I extolled the Most High, and I praised and glorified the one who lives forever. For his authority is an everlasting authority, and his kingdom extends from one generation to the next.

* '아람어'는 '아'로 표기하였음.

4 WLC

32 וְכָל־[דָּאֲרֵי כ] (דָּיְרֵי ק) אַרְעָא כְּלָה חֲשִׁיבִין וּכְמִצְבְּיֵהּ עָבֵד בְּחֵיל שְׁמַיָּא [וְדָאֲרֵי כ] (וְדָיְרֵי ק) אַרְעָא וְלָא אִיתַי דִּי־יְמַחֵא בִידֵהּ וְיֵאמַר לֵהּ מָה עֲבַדְתְּ׃

33 בֵּהּ־זִמְנָא מַנְדְּעִי ׀ יְתוּב עֲלַי וְלִיקַר מַלְכוּתִי הַדְרִי וְזִוִי יְתוּב עֲלַי וְלִי הַדָּבְרַי וְרַבְרְבָנַי יְבַעוֹן וְעַל־מַלְכוּתִי הָתְקְנַת וּרְבוּ יַתִּירָה הוּסְפַת לִי׃

34 כְּעַן אֲנָה נְבוּכַדְנֶצַּר מְשַׁבַּח וּמְרוֹמֵם וּמְהַדַּר לְמֶלֶךְ שְׁמַיָּא דִּי כָל־מַעֲבָדוֹהִי קְשֹׁט וְאֹרְחָתֵהּ דִּין וְדִי מַהְלְכִין בְּגֵוָה יָכִל לְהַשְׁפָּלָה׃ פ

맛싸성경

4:35 (아, 4:32) 그 땅에 거하는 모든 자들은 (그분 앞에서는) 없는 것같이 여겨지고 그분은 자기가 기뻐하시는 대로 하늘의 군대들과 땅에 거하는 자들에게 행하신다. 그분의 손을 칠 자는 없을 것이며 그분께 "주께서 무엇을 행하시나이까?"라고 말할 자도 없다. **4:36 (아, 4:33)** 그때 내 이해력이 내게 돌아왔고 나의 왕국의 영광을 위해서 내 총명이 내게 다시 돌아왔으며 내 조언자들과 내 귀족들이 나를 찾았다. 나는 내 왕좌에 복구되었고 위대함과 뛰어남이 내게 더해졌다. **4:37 (아, 4:34)** 이제 나 느부갓네살은 하늘의 왕에게 찬미하였고 (그분을) 높이며 (그분에게) 영광을 돌리니 이는 그분의 모든 행위들은 진리이며 그분의 길들은 심판이시기 때문이다. 교만으로 걷는 자들을 그분은 낮추실 수 있는 분이시기 때문이다.

NET

35 (32) All the inhabitants of the earth are regarded as nothing. He does as he wishes with the army of heaven and with those who inhabit the earth. No one slaps his hand and says to him, "What have you done?" **36 (33)** At that time my sanity returned to me. I was restored to the honor of my kingdom, and my splendor returned to me. My ministers and my nobles were seeking me out, and I was reinstated over my kingdom. I became even greater than before. **37 (34)** Now I, Nebuchadnezzar, praise and exalt and glorify the King of heaven, for all his deeds are right and his ways are just. He is able to bring down those who live in pride.

* '아람어'는 '아'로 표기하였음.

5 WLC

1 בֵּלְשַׁאצַּר מַלְכָּא עֲבַד לְחֶם רַב לְרַבְרְבָנוֹהִי אֲלַף וְלָקֳבֵל אַלְפָּא חַמְרָא שָׁתֵה׃

2 בֵּלְשַׁאצַּר אֲמַרו בִּטְעֵם חַמְרָא לְהַיְתָיָה לְמָאנֵי דַּהֲבָא וְכַסְפָּא דִּי הַנְפֵּק נְבוּכַדְנֶצַּר אֲבוּהִי מִן־הֵיכְלָא דִּי בִירוּשְׁלֶם וְיִשְׁתּוֹן בְּהוֹן מַלְכָּא וְרַבְרְבָנוֹהִי שֵׁגְלָתֵהּ וּלְחֵנָתֵהּ׃

3 בֵּאדַיִן הַיְתִיו מָאנֵי דַהֲבָא דִּי הַנְפִּקוּ מִן־הֵיכְלָא דִּי־בֵית אֱלָהָא דִּי בִירוּשְׁלֶם וְאִשְׁתִּיו בְּהוֹן מַלְכָּא וְרַבְרְבָנוֹהִי שֵׁגְלָתֵהּ וּלְחֵנָתֵהּ׃

4 אִשְׁתִּיו חַמְרָא וְשַׁבַּחוּ לֵאלָהֵי דַּהֲבָא וְכַסְפָּא נְחָשָׁא פַרְזְלָא אָעָא וְאַבְנָא׃

맛싸성경

1 벨사살 왕이 그의 권력자들 1,000 명을 위해서 큰 식사를 베풀었고 그 1,000 명 앞에서 그는 포도주를 마셨다. 2 벨사살은 그가 포도주에 취했을 때 그의 아버지 느부갓네살이 예루살렘에 있던 성전으로부터 가져온 금과 은의 그릇들을 가져오라고 명령했다. 왕과 그의 권력자들과 그(왕)의 왕비들과 그(왕)의 첩들이 그것들을 마시려고 하였다. 3 그러자 그들이 예루살렘에 있는 하나님의 집인 성전에서 가져온 금 그릇들을 가져왔고 왕과 권력자들과 그(왕)의 왕비들과 그(왕)의 첩들이 그것들로 마셨다. 4 그들은 포도주를 마셨고 그들은 금과 은과 놋쇠와 철과 나무와 돌의 신들에게 찬미하였다.

NET

1 King Belshazzar prepared a great banquet for 1,000 of his nobles, and he was drinking wine in front of them all. 2 While under the influence of the wine, Belshazzar issued an order to bring in the gold and silver vessels—the ones that Nebuchadnezzar his father had confiscated from the temple in Jerusalem—so that the king and his nobles, together with his wives and his concubines, could drink from them. 3 So they brought the gold and silver vessels that had been confiscated from the temple, the house of God in Jerusalem, and the king and his nobles, together with his wives and concubines, drank from them. 4 As they drank wine, they praised the gods of gold and silver, bronze, iron, wood, and stone.

5 WLC

5 בַּהּ־שַׁעֲתָה [נְפַקוּ כ] (נְפַקָה ק) אֶצְבְּעָן דִּי יַד־אֱנָשׁ וְכָתְבָן לָקֳבֵל נֶבְרַשְׁתָּא עַל־גִּירָא דִּי־כְתַל הֵיכְלָא דִּי מַלְכָּא וּמַלְכָּא חָזֵה פַּס יְדָה דִּי כָתְבָה׃

6 אֱדַיִן מַלְכָּא זִיוֺהִי שְׁנוֹהִי וְרַעְיֹנֹהִי יְבַהֲלוּנֵּהּ וְקִטְרֵי חַרְצֵהּ מִשְׁתָּרַיִן וְאַרְכֻבָּתֵהּ דָּא לְדָא נָקְשָׁן׃

7 קָרֵא מַלְכָּא בְּחַיִל לְהֶעָלָה לְאָשְׁפַיָּא [כַּשְׂדָּיֵא כ] (כַּשְׂדָּאֵי ק) וְגָזְרַיָּא עָנֵה מַלְכָּא וְאָמַר ׀ לְחַכִּימֵי בָבֶל דִּי כָל־אֱנָשׁ דִּי־יִקְרֵה כְּתָבָה דְנָה וּפִשְׁרֵהּ יְחַוִּנַּנִי אַרְגְּוָנָא יִלְבַּשׁ [וְהַמּוֹנְכָא כ] (וְהַמְנִיכָא ק) דִּי־דַהֲבָא עַל־צַוְּארֵהּ וְתַלְתִּי בְּמַלְכוּתָא יִשְׁלַט׃ ס

맛싸성경

5 그때 사람의 손의 손가락들이 나타났고 그것들이 등잔대 앞 왕의 궁전 벽의 회 위에 (글을) 적었으니 왕이 (그것을) 쓰는 손의 손바닥을 보았다. 6 그러자 왕은 그의 안색이 변했고 그의 생각이 그를 두렵게 했다. 그의 엉덩이의 뼈들이 풀렸고 그의 무릎이 이쪽 저쪽으로 부딪쳤다. 7 왕은 힘을 다해 소리쳐서 마술사들과 바벨론의 지혜자들과 점술가들을 데려오라고 하였다. 왕은 대답하였고 그는 바벨론의 지혜자들에게 말했다. "어떤 사람이든지 이 글을 읽고 그 해석을 내게 말하는 자는 자주색 옷을 입으며 목에 금목걸이도 달고 왕국에서 세 번째 (사람)으로 통치할 것이다."

NET

5 At that very moment the fingers of a human hand appeared and wrote on the plaster of the royal palace wall, opposite the lampstand. The king was watching the back of the hand that was writing. 6 Then all the color drained from the king's face, and he became alarmed. The joints of his hips gave way, and his knees began knocking together. 7 The king called out loudly to summon the astrologers, wise men, and diviners. The king proclaimed to the wise men of Babylon that anyone who could read this inscription and disclose its interpretation would be clothed in purple and have a golden collar placed on his neck and be third ruler in the kingdom.

5 WLC

8 אֱדַ֫יִן [עָלְלִין כ] (עָלִּ֔ין ק) כֹּ֖ל חַכִּימֵ֣י מַלְכָּ֑א וְלָֽא־כָהֲלִ֤ין כְּתָבָא֙ לְמִקְרֵ֔א [וּפִשְׁרָא כ] (וּפִשְׁרֵ֖הּ ק) לְהוֹדָעָ֥ה לְמַלְכָּֽא׃

9 אֱדַ֨יִן מַלְכָּ֤א בֵלְשַׁאצַּר֙ שַׂגִּ֣יא מִתְבָּהַ֔ל וְזִיוֺ֖הִי שָׁנַ֣יִן עֲלֺ֑והִי וְרַבְרְבָנ֖וֺהִי מִשְׁתַּבְּשִֽׁין׃

맛싸성경

8 그때 왕의 모든 지혜자들이 들어왔으나 그들은 그 글을 읽을 수도 없었고 그 해석을 왕에게 알려줄 수도 없었다. **9** 그러자 벨사살 왕은 매우 두려워했고 그의 안색은 그에게서 변하였으며 그의 권력자들도 혼란스러워했다.

NET

8 So all the king's wise men came in, but they were unable to read the writing or to make known its interpretation to the king. **9** Then King Belshazzar was very terrified, and he was visibly shaken. His nobles were completely dumbfounded.

5 WLC

10 מַלְכְּתָא לָקֳבֵל מִלֵּי מַלְכָּא וְרַבְרְבָנוֹהִי לְבֵית מִשְׁתְּיָא [עֲלַלַת כ] (עַלַּת
ק) עֲנָת מַלְכְּתָא וַאֲמֶרֶת מַלְכָּא לְעָלְמִין חֱיִי אַל־יְבַהֲלוּךְ רַעְיוֹנָךְ וְזִיוָיךְ
אַל־יִשְׁתַּנּוֹ׃

11 אִיתַי גְּבַר בְּמַלְכוּתָךְ דִּי רוּחַ אֱלָהִין קַדִּישִׁין בֵּהּ וּבְיוֹמֵי אֲבוּךְ נַהִירוּ
וְשָׂכְלְתָנוּ וְחָכְמָה כְּחָכְמַת־אֱלָהִין הִשְׁתְּכַחַת בֵּהּ וּמַלְכָּא נְבֻכַדְנֶצַּר אֲבוּךְ
רַב חַרְטֻמִּין אָשְׁפִין כַּשְׂדָּאִין גָּזְרִין הֲקִימֵהּ אֲבוּךְ מַלְכָּא׃

12 כָּל־קֳבֵל דִּי רוּחַ ׀ יַתִּירָה וּמַנְדַּע וְשָׂכְלְתָנוּ מְפַשַּׁר חֶלְמִין וַאַחֲוָיַת אֲחִידָן
וּמְשָׁרֵא קִטְרִין הִשְׁתְּכַחַת בֵּהּ בְּדָנִיֵּאל דִּי־מַלְכָּא שָׂם־שְׁמֵהּ בֵּלְטְשַׁאצַּר
כְּעַן דָּנִיֵּאל יִתְקְרֵי וּפִשְׁרָה יְהַחֲוֵה׃ פ

맛싸성경

10 여왕이 왕과 그의 권력자들의 말들 때문에 연회장으로 왔고 여왕이 대답하여 말했다. "왕이시여, 만세수를 하소서. 왕의 생각들이 왕을 놀라게 하지 마시고 왕의 안색이 변하지 마소서. 11 왕의 왕국에 한 사람이 있는데 그의 안에는 거룩한 신들의 영이 있고 왕의 아버지의 날들 때 그의 안에서 신(들)의 지혜와 같은 총기와 통찰력과 지혜가 찾아졌습니다. 왕의 아버지 느부갓네살 왕이 점쟁이들과 마술사들과 지혜자들과 점술가들의 대장으로 왕의 아버지 그 왕이 그를 세웠습니다. 12 뛰어난 영과 지식과 통찰력과 꿈들의 해석과 수수께끼 풀기와 난제를 해결하는 것이 그에게 찾아졌기 때문에 그 왕께서 다니엘에게 그의 이름을 벨드사살이라고 하셨습니다. 이제 다니엘을 부르소서. 그가 그 해석을 보여줄 것입니다."

NET

10 Due to the noise caused by the king and his nobles, the queen mother then entered the banquet room. She said, "O king, live forever! Don't be alarmed! Don't be shaken! **11** There is a man in your kingdom who has within him a spirit of the holy gods. In the days of your father, he proved to have insight, discernment, and wisdom like that of the gods. King Nebuchadnezzar your father appointed him chief of the magicians, astrologers, wise men, and diviners. **12** Thus there was found in this man Daniel, whom the king renamed Belteshazzar, an extraordinary spirit, knowledge, and skill to interpret dreams, explain riddles, and solve difficult problems. Now summon Daniel, and he will disclose the interpretation."

5

WLC

13 בֵּאדַיִן דָּנִיֵּאל הֻעַל קֳדָם מַלְכָּא עָנֵה מַלְכָּא וְאָמַר לְדָנִיֵּאל [אַנְתָּה כ] (אַנְתְּ
ק) הוּא דָנִיֵּאל דִּי־מִן־בְּנֵי גָלוּתָא דִּי יְהוּד דִּי הַיְתִי מַלְכָּא אַבִי מִן־יְהוּד׃

14 וְשִׁמְעֵת [עֲלַיִךְ כ] (עֲלָךְ ק) דִּי רוּחַ אֱלָהִין בָּךְ וְנַהִירוּ וְשָׂכְלְתָנוּ וְחָכְמָה
יַתִּירָה הִשְׁתְּכַחַת בָּךְ׃

15 וּכְעַן הֻעַלּוּ קֳדָמַי חַכִּימַיָּא אָשְׁפַיָּא דִּי־כְתָבָה דְנָה יִקְרוֹן וּפִשְׁרֵהּ
לְהוֹדָעֻתַנִי וְלָא־כָהֲלִין פְּשַׁר־מִלְּתָא לְהַחֲוָיָה׃

16 וַאֲנָה שִׁמְעֵת [עֲלַיִךְ כ] (עֲלָךְ ק) דִּי־[תוּכַל כ] (תִיכּוּל ק) פִּשְׁרִין
לְמִפְשַׁר וְקִטְרִין לְמִשְׁרֵא כְּעַן הֵן [תוּכַל כ] (תִכּוּל ק) כְּתָבָא לְמִקְרֵא
וּפִשְׁרֵהּ לְהוֹדָעֻתַנִי אַרְגְּוָנָא תִלְבַּשׁ [והמונכא כ] (וְהַמְנִיכָא ק) דִּי־דַהֲבָא
עַל־צַוְּארָךְ וְתַלְתָּא בְמַלְכוּתָא תִּשְׁלַט׃ פ

맛싸성경

13 그때 다니엘을 왕 앞에 데려오자 왕이 대답하여 다니엘에게 말했다. "네가 유다의 포로의 자손들 (중의 한 사람인) 다니엘로 내 아버지 왕께서 유다로부터 데려온 자이냐? 14 너에 관해서 신들의 영이 네 안에 있다고 내가 들었고 총기와 통찰력과 뛰어난 지혜가 네게서 찾아졌다고 들었다. 15 이제 지혜자들과 마술사들이 내 앞으로 왔었고 이것을 읽도록 하여 그 해석을 내게 알게 하라 하였다. 그러나 그들은 그 글의 해석을 알려줄 수 없었다. 16 그러나 나는 너에 대해서 들었고 네가 해석을 (해석)할 수 있으며 난제들을 해결할 수 있다고 한다. 이제 만일 네가 이 글씨를 읽을 수 있고 그 해석을 내게 알려 줄 수 있으면 너는 자주색 옷을 입게 되고 네 목에 금목걸이도 달게 하며 왕국에서 세 번째 (사람)으로 통치할 것이다."

NET

13 So Daniel was brought in before the king. The king said to Daniel, "Are you that Daniel who is one of the captives of Judah, whom my father the king brought from Judah? 14 I have heard about you, how there is a spirit of the gods in you, and how you have insight, discernment, and extraordinary wisdom. 15 Now the wise men and astrologers were brought before me to read this writing and make known to me its interpretation. But they were unable to disclose the interpretation of the message. 16 However, I have heard that you are able to provide interpretations and to solve difficult problems. Now if you are able to read this writing and make known to me its interpretation, you will wear purple and have a golden collar around your neck and be third ruler in the kingdom."

5 WLC

17 בֵּאדַיִן עָנֵה דָנִיֵּאל וְאָמַר קֳדָם מַלְכָּא מַתְּנָתָךְ לָךְ לֶהֶוְיָן וּנְבָזְבְּיָתָךְ
לְאָחֳרָן הַב בְּרַם כְּתָבָא אֶקְרֵא לְמַלְכָּא וּפִשְׁרָא אֲהוֹדְעִנֵּהּ׃

18 [אַנְתָּה כ] (אַנְתְּ ק) מַלְכָּא אֱלָהָא [עִלָּיָא כ] (עִלָּאָה ק) מַלְכוּתָא
וּרְבוּתָא וִיקָרָא וְהַדְרָה יְהַב לִנְבֻכַדְנֶצַּר אֲבוּךְ׃

19 וּמִן־רְבוּתָא דִּי יְהַב־לֵהּ כֹּל עַמְמַיָּא אֻמַיָּא וְלִשָּׁנַיָּא הֲווֹ [זָאֲעִין כ] (זָיְעִין
ק) וְדָחֲלִין מִן־קֳדָמוֹהִי דִּי־הֲוָה צָבֵא הֲוָא קָטֵל וְדִי־הֲוָה צָבֵא הֲוָה מַחֵא
וְדִי־הֲוָה צָבֵא הֲוָה מָרִים וְדִי־הֲוָה צָבֵא הֲוָה מַשְׁפִּיל׃

맛싸성경

17 그러자 다니엘이 대답하여 왕 앞에서 말했다. "왕의 선물들은 왕에게 있게 하시며 왕의 보상은 다른 사람에게 주십시오. 그럼에도 내가 왕을 위하여 그 글을 읽으며 그 해석을 왕에게 알려 드릴 것입니다. 18 왕이시여, 가장 높으신 하나님이 왕국과 위대함과 영광과 위엄을 왕의 아버지 느부갓네살에게 주셨습니다. 19 그분이 그에게 위대함을 주셨기 때문에 모든 백성과 나라들과 모든 (다른) 언어를 쓰는 사람들은 그분 앞에서 떨었고 그들은 그분 앞에서부터 두려워하였습니다. 그분이 원하시면 죽였고 그분이 있기를 원하시면 살려주셨으며 그분이 원하시면 높여 주셨고 그분이 원하시면 낮추기도 하셨습니다.

NET

17 But Daniel replied to the king, "Keep your gifts, and give your rewards to someone else. However, I will read the writing for the king and make known its interpretation. 18 As for you, O king, the most high God bestowed on your father Nebuchadnezzar a kingdom, greatness, honor, and majesty. 19 Due to the greatness that he bestowed on him, all peoples, nations, and language groups were trembling with fear before him. He killed whom he wished, he spared whom he wished, he exalted whom he wished, and he brought low whom he wished.

5 WLC

20 וּכְדִי רִם לִבְבֵהּ וְרוּחֵהּ תִּקְפַת לַהֲזָדָה הָנְחַת מִן־כָּרְסֵא מַלְכוּתֵהּ וִיקָרָה הֶעְדִּיו מִנֵּהּ׃

21 וּמִן־בְּנֵי אֲנָשָׁא טְרִיד וְלִבְבֵהּ ׀ עִם־חֵיוְתָא [שְׁוִי כ] (שַׁוִּיו ק) וְעִם־עֲרָדַיָּא מְדוֹרֵהּ עִשְׂבָּא כְתוֹרִין יְטַעֲמוּנֵּהּ וּמִטַּל שְׁמַיָּא גִּשְׁמֵהּ יִצְטַבַּע עַד דִּי־יְדַע דִּי־שַׁלִּיט אֱלָהָא [עליא כ] (עִלָּאָה ק) בְּמַלְכוּת אֲנָשָׁא וּלְמַן־דִּי יִצְבֵּה יְהָקֵים [עֲלַיַּהּ כ] (עֲלַהּ ק)׃

맛싸성경

20 그러나 그의 마음이 높아지고 그의 영(생각)이 주제넘게 지나친 행사를 하였을 때 그는 그의 왕국의 보좌로부터 내려왔으며 그의 영광은 그에게서 빼앗겨졌습니다. 21 그는 사람의 아들들로부터 쫓겨났고 그의 마음은 짐승의 (마음)같이 되었으며 그의 거처는 들나귀와 함께 있었고 소들처럼 풀을 그로 먹게 하였으며 그의 몸은 하늘(들)의 이슬로부터 젖게 하였습니다. 곧 가장 높으신 하나님(신)이 인간의 왕국을 통치하시고 그분이 원하시는 사람을 그(들) 위에 세우신다는 것을 알 때까지였습니다.

NET

20 And when his mind became arrogant and his spirit filled with pride, he was deposed from his royal throne, and his honor was removed from him. 21 He was driven from human society; his mind was changed to that of an animal. He lived with the wild donkeys, he was fed grass like oxen, and his body became damp with the dew of the sky, until he came to understand that the most high God rules over human kingdoms, and he appoints over them whomever he wishes.

5 WLC

22 [וְאַנְתָּה כ] (וְאַנְתְּ ק) בְּרֵהּ בֵּלְשַׁאצַּר לָא הַשְׁפֵּלְתְּ לִבְבָךְ כָּל־קֳבֵל דִּי
כָל־דְּנָה יְדַעְתָּ׃

23 וְעַל מָרֵא־שְׁמַיָּא ׀ הִתְרוֹמַמְתָּ וּלְמָאנַיָּא דִּי־בַיְתֵהּ הַיְתִיו [קָדָמַיִךְ כ]
(קָדָמָךְ ק) [וְאַנְתָּה כ] (וְאַנְתְּ ק) [וְרַבְרְבָנַיִךְ כ] (וְרַבְרְבָנָךְ ק) שֵׁגְלָתָךְ
וּלְחֵנָתָךְ חַמְרָא שָׁתַיִן בְּהוֹן וְלֵאלָהֵי כַסְפָּא־וְדַהֲבָא נְחָשָׁא פַרְזְלָא אָעָא
וְאַבְנָא דִּי לָא־חָזַיִן וְלָא־שָׁמְעִין וְלָא יָדְעִין שַׁבַּחְתָּ וְלֵאלָהָא דִּי־נִשְׁמְתָךְ
בִּידֵהּ וְכָל־אֹרְחָתָךְ לֵהּ לָא הַדַּרְתָּ׃

24 בֵּאדַיִן מִן־קֳדָמוֹהִי שְׁלִיחַ פַּסָּא דִי־יְדָא וּכְתָבָא דְנָה רְשִׁים׃

맛싸성경

22 그의 아들 벨사살이여, 이 모든 것을 왕이 알고 있으면서도 왕의 마음을 낮추지 않으시고 23 오히려 하늘의 주를 대하여 왕은 자신을 높이고 그분의 성전의 그릇들을 왕 앞으로 가져왔으며 왕과 왕의 권력자들과 왕의 왕비들과 왕의 첩들이 포도주를 그것들로 마셨고 왕은 보지도 못하고 듣지도 못하고 알지도 못하는 은과 금과 놋쇠와 철과 나무와 돌의 신들에게 찬미하였습니다. 그러나 왕의 생명을 그분의 손에 가지고 계시고 왕의 모든 길들을 가지고 계신 그 하나님께 왕은 영화롭게 하지 않았습니다. 24 그래서 그분 앞에서부터 손바닥이 내보내졌고 이 글씨가 쓰였습니다.

NET

22 "But you, his son Belshazzar, have not humbled yourself, although you knew all this. 23 Instead, you have exalted yourself against the Lord of heaven. You brought before you the vessels from his temple, and you and your nobles, together with your wives and concubines, drank wine from them. You praised the gods of silver, gold, bronze, iron, wood, and stone—gods that cannot see or hear or comprehend. But you have not glorified the God who has in his control your very breath and all your ways! 24 Therefore the palm of a hand was sent from him, and this writing was inscribed.

5 WLC

25 וּדְנָה כְתָבָא דִּי רְשִׁים מְנֵא מְנֵא תְּקֵל וּפַרְסִין׃

26 דְּנָה פְּשַׁר־מִלְּתָא מְנֵא מְנָה־אֱלָהָא מַלְכוּתָךְ וְהַשְׁלְמַהּ׃

27 תְּקֵל תְּקִילְתָּה בְמֹאזַנְיָא וְהִשְׁתְּכַחַתְּ חַסִּיר׃

28 פְּרֵס פְּרִיסַת מַלְכוּתָךְ וִיהִיבַת לְמָדַי וּפָרָס׃

29 בֵּאדַיִן ׀ אֲמַר בֵּלְשַׁאצַּר וְהַלְבִּשׁוּ לְדָנִיֵּאל אַרְגְּוָנָא [וְהַמוֹנְכָא כ] (וְהַמְנִיכָא ק) דִּי־דַהֲבָא עַל־צַוְּארֵהּ וְהַכְרִזוּ עֲלוֹהִי דִּי־לֶהֱוֵא שַׁלִּיט תַּלְתָּא בְּמַלְכוּתָא׃

30 בֵּהּ בְּלֵילְיָא קְטִיל בֵּלְאשַׁצַּר מַלְכָּא [כַשְׂדָּיָא כ] (כַשְׂדָּאָה ק)׃ פ

맛싸성경

25 쓰인 그 글은 이것이니 '메네 메네 테겔 우 파르씬'입니다. 26 이것이 그 말의 해석입니다. '메네'는 '하나님이 왕의 왕국을 세셨고 그것을 마치게 하셨다.'는 것이며 27 '테겔'은 '왕은 저울들로 재어져 왕에게 부족함이 찾아졌다.'는 것이며 28 '페레쓰'는 '왕의 왕국이 나누어져서 그것이 메대와 페르시아에게 주어진다.'는 것입니다." 29 그때 벨사살은 명령했고 다니엘에게 자주색 옷을 입혔으며 그의 목에 금목걸이도 달게 했다. 그를 왕국에서 세 번째 통치자가 되도록 공포하였다. 30 그날 밤에 갈대아인들의 왕 벨사살은 살해당했다.

NET

25 "This is the writing that was inscribed: mene, mene, teqel, and pharsin. 26 This is the interpretation of the words: As for Mene—God has numbered your kingdom's days and brought it to an end. 27 As for Teqel—you are weighed on the balances and found to be lacking. 28 As for Peres—your kingdom is divided and given over to the Medes and Persians." 29 Then, on Belshazzar's orders, Daniel was clothed in purple, a golden collar was placed around his neck, and he was proclaimed third ruler in the kingdom. 30 And that very night Belshazzar, the Babylonian king, was killed.

6 WLC

1 וְדָרְיָוֶשׁ מָדָיָא קַבֵּל מַלְכוּתָא כְּבַר שְׁנִין שִׁתִּין וְתַרְתֵּין׃

2 שְׁפַר קֳדָם דָּרְיָוֶשׁ וַהֲקִים עַל־מַלְכוּתָא לַאֲחַשְׁדַּרְפְּנַיָּא מְאָה וְעֶשְׂרִין דִּי
לֶהֱוֹן בְּכָל־מַלְכוּתָא׃

3 וְעֵלָּא מִנְּהוֹן סָרְכִין תְּלָתָא דִּי דָנִיֵּאל חַד־מִנְּהוֹן דִּי־לֶהֱוֹן אֲחַשְׁדַּרְפְּנַיָּא
אִלֵּין יָהֲבִין לְהוֹן טַעְמָא וּמַלְכָּא לָא־לֶהֱוֵא נָזִק׃

4 אֱדַיִן דָּנִיֵּאל דְּנָה הֲוָא מִתְנַצַּח עַל־סָרְכַיָּא וַאֲחַשְׁדַּרְפְּנַיָּא כָּל־קֳבֵל דִּי
רוּחַ יַתִּירָא בֵּהּ וּמַלְכָּא עֲשִׁית לַהֲקָמוּתֵהּ עַל־כָּל־מַלְכוּתָא׃

맛싸성경

5:31 (아, 6:1) 메대 사람 다리오가 그 왕국을 얻었으니 (그의 나이) 62 세였다. **6:1 (아, 6:2)** 다리오는 기뻐하여 그는 왕국 위에 120 명의 지방 총독들을 임명하였다. 그들로 모든 왕국에 속하게 하였고 **6:2 (아, 6:3)** 그들 위에 있는 (자들은) 3 명의 총리들을 두었는데 그들 중에 하나가 다니엘이었다. 이들 지방 총독들도 그(총리)들에게 보고서를 냈고 (그들은) 왕이 손해를 당하지 않도록 했다. **6:3 (아, 6:4)** 당시 이 다니엘은 총리들과 지방 총독들보다 뛰어났다. 이는 뛰어난 영이 그의 안에 있었기 때문이니 왕은 그를 모든 왕국 위에 세우려고 계획했다.

NET

31 (6:1) So Darius the Mede took control of the kingdom when he was about sixty-two years old. **1 (2)** It seemed like a good idea to Darius to appoint over the kingdom 120 satraps who would be in charge of the entire kingdom. **2 (3)** Over them would be three supervisors, one of whom was Daniel. These satraps were accountable to them, so that the king's interests might not incur damage. **3 (4)** Now this Daniel was distinguishing himself above the other supervisors and the satraps, for he had an extraordinary spirit. In fact, the king intended to appoint him over the entire kingdom.

* '아람어'는 '아'로 표기하였음.

6 WLC

5 אֱדַיִן סָרְכַיָּא וַאֲחַשְׁדַּרְפְּנַיָּא הֲווֹ בָּעַיִן עִלָּה לְהַשְׁכָּחָה לְדָנִיֵּאל מִצַּד מַלְכוּתָא וְכָל־עִלָּה וּשְׁחִיתָה לָא־יָכְלִין לְהַשְׁכָּחָה כָּל־קֳבֵל דִּי־מְהֵימַן הוּא וְכָל־שָׁלוּ וּשְׁחִיתָה לָא הִשְׁתְּכַחַת עֲלוֹהִי׃

6 אֱדַיִן גֻּבְרַיָּא אִלֵּךְ אָמְרִין דִּי לָא נְהַשְׁכַּח לְדָנִיֵּאל דְּנָה כָּל־עִלָּא לָהֵן הַשְׁכַּחְנָה עֲלוֹהִי בְּדָת אֱלָהֵהּ׃ ס

맛싸성경

6:4 (아, 6:5) 그때 총리들과 지방 총독들은 왕국에 관하여 다니엘에게 구실을 찾으려고 시도했다. 그러나 (어떤) 구실과 어떤 부정도 찾을 수 없었으니 그는 신실하였기 때문에 태만이나 부정도 그에게서 찾을 수 없었다. **6:5 (아, 6:6)** 그러자 이 사람들이 말했다. "우리는 그에게서 그의 하나님의 율법에 대해서 어떤 구실을 찾지 않고는 이 다니엘에 대해서 (꺼리를) 찾을 수 없다."

NET

4 (5) Consequently the supervisors and satraps were trying to find some pretext against Daniel in connection with administrative matters. But they were unable to find any such damaging evidence because he was trustworthy and guilty of no negligence or corruption. **5 (6)** So these men concluded, "We won't find any pretext against this man Daniel unless it is in connection with the law of his God."

* '아람어'는 '아'로 표기하였음.

6 WLC

7 אֱדַיִן סָרְכַיָּא וַאֲחַשְׁדַּרְפְּנַיָּא אִלֵּן הַרְגִּשׁוּ עַל־מַלְכָּא וְכֵן אָמְרִין לֵהּ דָּרְיָוֶשׁ
מַלְכָּא לְעָלְמִין חֱיִי׃

8 אִתְיָעַטוּ כֹּל ׀ סָרְכֵי מַלְכוּתָא סִגְנַיָּא וַאֲחַשְׁדַּרְפְּנַיָּא הַדָּבְרַיָּא וּפַחֲוָתָא
לְקַיָּמָה קְיָם מַלְכָּא וּלְתַקָּפָה אֱסָר דִּי כָל־דִּי־יִבְעֵה בָעוּ מִן־כָּל־אֱלָהּ וֶאֱנָשׁ
עַד־יוֹמִין תְּלָתִין לָהֵן מִנָּךְ מַלְכָּא יִתְרְמֵא לְגֹב אַרְיָוָתָא׃

9 כְּעַן מַלְכָּא תְּקִים אֱסָרָא וְתִרְשֻׁם כְּתָבָא דִּי לָא לְהַשְׁנָיָה כְּדָת־מָדַי וּפָרַס
דִּי־לָא תֶעְדֵּא׃

10 כָּל־קֳבֵל דְּנָה מַלְכָּא דָּרְיָוֶשׁ רְשַׁם כְּתָבָא וֶאֱסָרָא׃

맛싸성경

6:6 (아, 6:7) 그래서 총리들과 지방 총독들은 왕에게 몰려갔다. 그들이 그에게 이렇게 말했다. "다리오 왕이시여, 만세 수를 하소서. **6:7 (아, 6:8)** 왕국의 모든 총리들과 주지사들과 지방 총독들과 고문관들과 도지사들이 왕의 법령을 세울 것과 금령을 강화하는 것이니 누구든지 30일 동안 왕 당신을 제외하고 어떤 신이나 사람에게 기도로 간구하는 자는 사자들의 우리로 던져지도록 하는 것입니다. **6:8 (아, 6:9)** 이제 왕이시여, 당신이 그 금령을 세우시고 그 글에 서명하십시오. (그래서) 변경할 수 없는 메대와 페르시아의 법에 따라 그것이 무효가 되지 않게 하십시오. **6:9 (아, 6:10)** 그러므로 이 모든 일로 인하여 다리오 왕은 그 문서와 그 금령에 서명하였다.

NET

6 (7) So these supervisors and satraps came by collusion to the king and said to him, "O King Darius, live forever! **7 (8)** To all the supervisors of the kingdom, the prefects, satraps, counselors, and governors it seemed like a good idea for a royal edict to be issued and an interdict to be enforced. For the next 30 days anyone who prays to any god or human other than you, O king, should be thrown into a den of lions. **8 (9)** Now let the king issue a written interdict so that it cannot be altered, according to the law of the Medes and Persians, which cannot be changed." **9 (10)** So King Darius issued the written interdict.

* '아람어'는 '아'로 표기하였음.

6 WLC

11 וְדָנִיֵּאל כְּדִי יְדַע דִּי־רְשִׁים כְּתָבָא עַל לְבַיְתֵהּ וְכַוִּין פְּתִיחָן לֵהּ בְּעִלִּיתֵהּ
נֶגֶד יְרוּשְׁלֶם וְזִמְנִין תְּלָתָה בְיוֹמָא הוּא ׀ בָּרֵךְ עַל־בִּרְכוֹהִי וּמְצַלֵּא וּמוֹדֵא
קֳדָם אֱלָהֵהּ כָּל־קֳבֵל דִּי־הֲוָא עָבֵד מִן־קַדְמַת דְּנָה׃ ס

12 אֱדַיִן גֻּבְרַיָּא אִלֵּךְ הַרְגִּשׁוּ וְהַשְׁכַּחוּ לְדָנִיֵּאל בָּעֵא וּמִתְחַנַּן קֳדָם אֱלָהֵהּ׃

13 בֵּאדַיִן קְרִיבוּ וְאָמְרִין קֳדָם־מַלְכָּא עַל־אֱסָר מַלְכָּא הֲלָא אֱסָר רְשַׁמְתָּ דִּי
כָל־אֱנָשׁ דִּי־יִבְעֵה מִן־כָּל־אֱלָהּ וֶאֱנָשׁ עַד־יוֹמִין תְּלָתִין לָהֵן מִנָּךְ מַלְכָּא
יִתְרְמֵא לְגוֹב אַרְיָוָתָא עָנֵה מַלְכָּא וְאָמַר יַצִּיבָא מִלְּתָא כְּדָת־מָדַי וּפָרַס
דִּי־לָא תֶעְדֵּא׃

맛싸성경

6:10 (아, 6:11) 다니엘은 그가 그 문서에 서명을 했다는 것을 알았으나 자기의 집으로 가서 위층에서 예루살렘을 향해서 창문을 열었다. 그는 날마다 세 번씩 그의 무릎을 꿇고 기도하였고 그의 하나님 앞에서 (감사로) 찬양하였으니 (이것은) 이전부터 그가 하던 것이었다. **6:11 (아, 6:12)** 그러자 이 사람들은 몰려갔고 그들은 다니엘이 그의 하나님 앞에서 간구하며 은혜 구하는 것을 발견했다. **6:12 (아, 6:13)** 그러자 그들은 왕 앞으로 가까이 나갔고 그들이 왕의 금령에 대해서 말했다. "왕이 한 금령에 서명을 하시지 않으셨습니까? (곧) 누구든지 왕을 제외하고 자기 어떤 (다른) 신이나 사람으로부터 30 일 안에 간구하는 어떤 사람도 왕께서 사자들의 우리로 던져지도록 하는 것입니다." 왕이 대답했고 그가 말했다. "그 일은 확실하며 그것은 메대와 페르시아아 법에 따라 무효가 되지 않는 것이라."

NET

10 (11) When Daniel realized that a written decree had been issued, he entered his home, where the windows in his upper room opened toward Jerusalem. Three times daily he was kneeling and offering prayers and thanks to his God just as he had been accustomed to do previously. **11 (12)** Then those officials who had gone to the king came by collusion and found Daniel praying and asking for help before his God. **12 (13)** So they approached the king and said to him, "Did you not issue an edict to the effect that for the next 30 days anyone who prays to any god or human other than to you, O king, would be thrown into a den of lions?" The king replied, "That is correct, according to the law of the Medes and Persians, which cannot be changed."

* '아람어'는 '아'로 표기하였음.

6 WLC

14 בֵּאדַיִן עֲנוֹ וְאָמְרִין קֳדָם מַלְכָּא דִּי דָנִיֵּאל דִּי מִן־בְּנֵי גָלוּתָא דִּי יְהוּד לָא־שָׂם [עֲלַיִךְ כ] (עֲלָךְ ק) מַלְכָּא טְעֵם וְעַל־אֱסָרָא דִּי רְשַׁמְתָּ וְזִמְנִין תְּלָתָה בְּיוֹמָא בָּעֵא בָּעוּתֵהּ׃

15 אֱדַיִן מַלְכָּא כְּדִי מִלְּתָא שְׁמַע שַׂגִּיא בְּאֵשׁ עֲלוֹהִי וְעַל דָּנִיֵּאל שָׂם בָּל לְשֵׁיזָבוּתֵהּ וְעַד מֶעָלֵי שִׁמְשָׁא הֲוָא מִשְׁתַּדַּר לְהַצָּלוּתֵהּ׃

16 בֵּאדַיִן גֻּבְרַיָּא אִלֵּךְ הַרְגִּשׁוּ עַל־מַלְכָּא וְאָמְרִין לְמַלְכָּא דַּע מַלְכָּא דִּי־דָת לְמָדַי וּפָרַס דִּי־כָל־אֱסָר וּקְיָם דִּי־מַלְכָּא יְהָקֵים לָא לְהַשְׁנָיָה׃

맛싸성경

6:13 (아, 6:14) 그때 그들이 대답했고 왕 앞에서 말했다. "유다의 포로들의 아들(자손)들 중에서 다니엘이 왕께 관심을 두지 않았고 왕이 서명하신 그 금령에 대해서도 그러했습니다. (그는) 날마다 세 번이나 그의 기도로 간구합니다." **6:14 (아, 6:15)** 그러자 왕이 그 말을 들었을 때 그는 크게 마음이 불편했고 다니엘에 대해서 그를 구출하도록 마음에 관심을 두었다. 그는 해가 질 때까지 그를 구출하려고 노력했다. **6:15 (아, 6:16)** 그때 이 사람들이 왕에게로 몰려갔다. 그들이 왕에게 말했다. "메대와 페르시아 법에 대해서 왕이 아시는 바와 같이 왕이 세우신 어떤 금령이나 법령도 변경되지 않습니다."

NET

13 (14) Then they said to the king, "Daniel, who is one of the captives from Judah, pays no attention to you, O king, or to the edict that you issued. Three times daily he offers his prayer." **14 (15)** When the king heard this, he was very upset and began thinking about how he might rescue Daniel. Until late afternoon he was struggling to find a way to rescue him. **15 (16)** Then those men came by collusion to the king and said to him, "Recall, O king, that it is a law of the Medes and Persians that no edict or decree that the king issues can be changed."

* '아람어'는 '아'로 표기하였음.

6 WLC

17 בֵּאדַיִן מַלְכָּא אֲמַר וְהַיְתִיו לְדָנִיֵּאל וּרְמוֹ לְגֻבָּא דִּי אַרְיָוָתָא עָנֵה מַלְכָּא וְאָמַר לְדָנִיֵּאל אֱלָהָךְ דִּי [אַנְתָּה כ] (אַנְתְּ ק) פָּלַח־לֵהּ בִּתְדִירָא הוּא יְשֵׁיזְבִנָּךְ׃

18 וְהֵיתָיִת אֶבֶן חֲדָה וְשֻׂמַת עַל־פֻּם גֻּבָּא וְחַתְמַהּ מַלְכָּא בְּעִזְקְתֵהּ וּבְעִזְקָת רַבְרְבָנוֹהִי דִּי לָא־תִשְׁנֵא צְבוּ בְּדָנִיֵּאל׃

19 אֱדַיִן אֲזַל מַלְכָּא לְהֵיכְלֵהּ וּבָת טְוָת וְדַחֲוָן לָא־הַנְעֵל קֳדָמוֹהִי וְשִׁנְתֵּהּ נַדַּת עֲלוֹהִי׃

맛싸성경

6:16 (아, 6:17) 그러자 왕은 명령하였고 그들은 다니엘을 데리고 왔으며 그들은 그를 사자들의 우리로 던졌다. 왕이 대답하여 다니엘에게 말했다. "네가 계속해서 섬기는 네 하나님이 너를 구출하시기를 원한다." **6:17 (아, 6:18)** 한 돌이 가져와졌고 그것이 우리의 입구에 놓였다. 왕은 다니엘로 인한 일이 변경되지 못하도록 그의 인장 반지와 그의 권력자들의 도장 반지로 그것을 봉했다. **6:18 (아, 6:19)** 그러자 왕은 자기의 궁전으로 갔고 금식으로 그 밤을 지새웠으며 그는 자기 앞에 악기들이 오지 않게 하였다. 그의 잠도 그에게서 달아났다.

NET

16 (17) So the king gave the order, and Daniel was brought and thrown into a den of lions. The king consoled Daniel by saying, "Your God whom you continually serve will rescue you!" **17 (18)** Then a stone was brought and placed over the opening to the den. The king sealed it with his signet ring and with those of his nobles so that nothing could be changed with regard to Daniel. **18 (19)** Then the king departed to his palace. But he spent the night without eating, and no diversions were brought to him. He was unable to sleep.

* '아람어'는 '아'로 표기하였음.

6 WLC

20 בֵּאדַיִן מַלְכָּא בִּשְׁפַרְפָּרָא יְקוּם בְּנָגְהָא וּבְהִתְבְּהָלָה לְגֻבָּא דִּי־אַרְיָוָתָא אֲזַל׃

21 וּכְמִקְרְבֵהּ לְגֻבָּא לְדָנִיֵּאל בְּקָל עֲצִיב זְעִק עָנֵה מַלְכָּא וְאָמַר לְדָנִיֵּאל דָּנִיֵּאל עֲבֵד אֱלָהָא חַיָּא אֱלָהָךְ דִּי [אַנְתָּה כ] (אַנְתְּ ק) פָּלַח־לֵהּ בִּתְדִירָא הֲיִכִל לְשֵׁיזָבוּתָךְ מִן־אַרְיָוָתָא׃

22 אֱדַיִן דָּנִיֵּאל עִם־מַלְכָּא מַלִּל מַלְכָּא לְעָלְמִין חֱיִי׃

23 אֱלָהִי שְׁלַח מַלְאֲכֵהּ וּסֲגַר פֻּם אַרְיָוָתָא וְלָא חַבְּלוּנִי כָּל־קֳבֵל דִּי קָדָמוֹהִי זָכוּ הִשְׁתְּכַחַת לִי וְאַף [קֳדָמַיִךְ כ] (קָדָמָךְ ק) מַלְכָּא חֲבוּלָה לָא עַבְדֵת׃

맛싸성경

6:19 (아, 6:20) 그러고 나서 새벽녘 빛으로 왕이 일어났고 그는 사자들의 우리로 서둘러 갔다. **6:20 (아, 6:21)** 그가 사자 우리에 (있는) 다니엘에게로 가까이 갔을 때 그는 근심 있는 음성으로 소리 질러 왕이 다니엘에게 답하여 말했다. "살아 계신 하나님의 종 다니엘아, 네가 끊임없이 그분을 위하여 섬긴 네 하나님이 너를 사자들로부터 구출하실 수 있으셨느냐?" **6:21 (아, 6:22)** 그때 다니엘이 왕에게 말했다. "왕이시여, 만세 수를 하옵소서. **6:22 (아, 6:23)** 내 하나님이 그분의 천사를 보내셨으며 그분이 사자들의 입을 막으셨기 때문에 그들이 나를 상하게 하지 않았습니다. 왜냐하면 그분 앞에서 내게는 무죄함이 발견되었기 때문이며 또한 왕이시여, 왕 앞에서도 나는 해치는 행동을 하지 않았습니다."

NET

19 (20) In the morning, at the earliest sign of daylight, the king got up and rushed to the lions' den. **20 (21)** As he approached the den, he called out to Daniel in a worried voice, "Daniel, servant of the living God, was your God whom you continually serve able to rescue you from the lions?" **21 (22)** Then Daniel spoke to the king, "O king, live forever! **22 (23)** My God sent his angel and closed the lions' mouths so that they have not harmed me because I was found to be innocent before him. Nor have I done any harm to you, O king."

* '아람어'는 '아'로 표기하였음.

6 WLC

24 בֵּאדַיִן מַלְכָּא שַׂגִּיא טְאֵב עֲלוֹהִי וּלְדָנִיֵּאל אֲמַר לְהַנְסָקָה מִן־גֻּבָּא וְהֻסַּק
דָּנִיֵּאל מִן־גֻּבָּא וְכָל־חֲבָל לָא־הִשְׁתְּכַח בֵּהּ דִּי הֵימִן בֵּאלָהֵהּ׃

25 וַאֲמַר מַלְכָּא וְהַיְתִיו גֻּבְרַיָּא אִלֵּךְ דִּי־אֲכַלוּ קַרְצוֹהִי דִּי דָנִיֵּאל וּלְגֹב
אַרְיָוָתָא רְמוֹ אִנּוּן בְּנֵיהוֹן וּנְשֵׁיהוֹן וְלָא־מְטוֹ לְאַרְעִית גֻּבָּא עַד דִּי־שְׁלִטוּ
בְהוֹן אַרְיָוָתָא וְכָל־גַּרְמֵיהוֹן הַדִּקוּ׃

맛싸성경

6:23 (아, 6:24) 그러자 왕은 그로 인하여 대단히 기뻐했고 그는 다니엘을 사자 우리에서부터 꺼낼 것을 명령하였다. 그래서 다니엘은 사자 우리에서부터 꺼내졌으나 그에게는 어떤 상처도 발견되지 않았으니 이는 그가 그의 하나님을 믿었음이라. **6:24 (아, 6:25)** 왕은 명령하였고 다니엘을 고소하여 그를 삼키려 한 그들을 데려왔고 사자 우리로 그들과 그들의 아들들과 그들의 아내들을 던졌다. 그들이 사자 우리의 바닥에 닿지도 않았을 그때 사자들은 그들을 압도하였고 그들의 모든 뼈를 부숴뜨렸다.

NET

23 (24) Then the king was delighted and gave an order to haul Daniel up from the den. So Daniel was hauled up out of the den. He had no injury of any kind because he had trusted in his God. **24 (25)** The king gave another order, and those men who had maliciously accused Daniel were brought and thrown into the lions' den—they, their children, and their wives. They did not even reach the bottom of the den before the lions overpowered them and crushed all their bones.

* '아람어'는 '아'로 표기하였음.

6 WLC

26 בֵּאדַיִן דָּרְיָוֶשׁ מַלְכָּא כְּתַב לְכָל־עַמְמַיָּא אֻמַיָּא וְלִשָּׁנַיָּא דִּי־[דָאְרִין כ] (דָיְרִין ק) בְּכָל־אַרְעָא שְׁלָמְכוֹן יִשְׂגֵּא׃

27 מִן־קֳדָמַי שִׂים טְעֵם דִּי ׀ בְּכָל־שָׁלְטָן מַלְכוּתִי לֶהֱוֺן [זָאֲעִין כ] (זָיְעִין ק) וְדָחֲלִין מִן־קֳדָם אֱלָהֵהּ דִּי־דָנִיֵּאל דִּי־הוּא ׀ אֱלָהָא חַיָּא וְקַיָּם לְעָלְמִין וּמַלְכוּתֵהּ דִּי־לָא תִתְחַבַּל וְשָׁלְטָנֵהּ עַד־סוֹפָא׃

28 מְשֵׁיזִב וּמַצִּל וְעָבֵד אָתִין וְתִמְהִין בִּשְׁמַיָּא וּבְאַרְעָא דִּי שֵׁיזִיב לְדָנִיֵּאל מִן־יַד אַרְיָוָתָא׃

29 וְדָנִיֵּאל דְּנָה הַצְלַח בְּמַלְכוּת דָּרְיָוֶשׁ וּבְמַלְכוּת כּוֹרֶשׁ [פרסיא כ] (פָּרְסָאָה ק)׃ פ

맛싸성경

6:25 (아, 6:26) 그러고 나서 다리오 왕은 모든 땅에 거하는 모든 백성과 나라들과 다른 언어(를 쓰는) 사람들에게 (다음과 같이) 기록했다. "평화가 너희들에게 많기를 원한다. **6:26 (아, 6:27)** 내 앞에서부터 한 법령을 세우니 곧 내 왕국의 모든 통치권 안에 있는 사람들은 다니엘의 하나님 앞에서 떨며 두려워하여야 한다. 이는 그분은 살아 계신 하나님이시고 영원히 지속하시는 분이시며 그의 왕국은 멸망하지 않고 그의 통치는 끝이 없음이라. **6:27 (아, 6:28)** 그분은 구출하시고 그분은 구(원)하시는 분이시니 그분은 하늘과 땅에서 표적과 놀라운 일들을 행하시는 분이시다. 그분이 다니엘을 사자들의 세력에서부터 구출하셨다." **6:28 (아, 6:29)** 그래서 이 다니엘은 다리오의 통치와 페르시아 사람 고레스의 통치 때에도 형통하였다.

NET

25 (26) Then King Darius wrote to all the peoples, nations, and language groups who were living in all the land: "Peace and prosperity! **26 (27)** I have issued an edict that throughout all the dominion of my kingdom people are to revere and fear the God of Daniel. "For he is the living God; he endures forever. His kingdom will not be destroyed; his authority is forever. **27 (28)** He rescues and delivers and performs signs and wonders in the heavens and on the earth. He has rescued Daniel from the power of the lions!" **28 (29)** So this Daniel prospered during the reign of Darius and the reign of Cyrus the Persian.

* '아람어'는 '아'로 표기하였음.

7 WLC

1 בִּשְׁנַת חֲדָה לְבֵלְאשַׁצַּר מֶלֶךְ בָּבֶל דָּנִיֵּאל חֵלֶם חֲזָה וְחֶזְוֵי רֵאשֵׁהּ עַל־מִשְׁכְּבֵהּ בֵּאדַיִן חֶלְמָא כְתַב רֵאשׁ מִלִּין אֲמַר׃

2 עָנֵה דָנִיֵּאל וְאָמַר חָזֵה הֲוֵית בְּחֶזְוִי עִם־לֵילְיָא וַאֲרוּ אַרְבַּע רוּחֵי שְׁמַיָּא מְגִיחָן לְיַמָּא רַבָּא׃

3 וְאַרְבַּע חֵיוָן רַבְרְבָן סָלְקָן מִן־יַמָּא שָׁנְיָן דָּא מִן־דָּא׃

맛싸성경

1 바벨론 왕 벨사살 1 년에 다니엘은 꿈을 (꾸고) 그는 그의 침상에서 그의 머리로 환상을 보았다. 그러고 나서 그는 그 꿈을 기록했고 그 사건들의 개요를 그가 말했다. 2 다니엘이 대답하여 그가 말했다. "내가 그 밤에 나의 환상이 있었고 보아라, 하늘의 네 바람이 큰 바다로 일어났다. 3 큰 네 짐승들이 바다에서부터 올라왔는데 이것과 저것은 달랐다.

NET

1 In the first year of King Belshazzar of Babylon, Daniel had a dream filled with visions while he was lying on his bed. Then he wrote down the dream in summary fashion. 2 Daniel explained: "I was watching in my vision during the night as the four winds of the sky were stirring up the great sea. 3 Then four large beasts came up from the sea; they were different from one another.

7 WLC

4 קַדְמָיְתָא כְאַרְיֵה וְגַפִּין דִּי־נְשַׁר לַהּ חָזֵה הֲוֵית עַד דִּי־מְּרִיטוּ גַפַּיהּ וּנְטִילַת
מִן־אַרְעָא וְעַל־רַגְלַיִן כֶּאֱנָשׁ הֳקִימַת וּלְבַב אֱנָשׁ יְהִיב לַהּ׃
5 וַאֲרוּ חֵיוָה אָחֳרִי תִנְיָנָה דָּמְיָה לְדֹב וְלִשְׂטַר־חַד הֳקִמַת וּתְלָת עִלְעִין
בְּפֻמַּהּ בֵּין [שִׁנַּיַּהּ כ] (שִׁנַּהּ ק) וְכֵן אָמְרִין לַהּ קוּמִי אֲכֻלִי בְּשַׂר שַׂגִּיא׃
6 בָּאתַר דְּנָה חָזֵה הֲוֵית וַאֲרוּ אָחֳרִי כִּנְמַר וְלַהּ גַּפִּין אַרְבַּע דִּי־עוֹף
עַל־[גַּבַּיַּהּ כ] (גַּבַּהּ ק) וְאַרְבְּעָה רֵאשִׁין לְחֵיוְתָא וְשָׁלְטָן יְהִיב לַהּ׃

맛싸성경

4 그 첫 번째는 사자와 같았고 그것에는 독수리 날개들이 있었다. 내가 그 날개들이 뽑힐 때까지 보고 있었고 그것(짐승)은 땅에서부터 들어 올려졌으며 사람같이 두 발로 섰고 사람의 마음이 그에게 주어졌다. 5 또 보아라, 두 번째 다른 짐승은 곰 같은 모양이었고 한쪽 편이 들려져 있었으며 그 입안에는 3 개의 갈비뼈들이 그의 이빨들 사이에 있었다. 그래서 '일어나 고기를 많이 먹어라.'고 그것에게 말하였다. 6 그 후에 내가 보고 있었는데 표범과 같은 다른 (짐승을) 보았는데 그것의 등에는 새의 날개 4 개가 있었다. 그 짐승에게 네 머리들이 있었고 그것에게 통치가 주어졌다.

NET

4 "The first one was like a lion with eagles' wings. As I watched, its wings were pulled off, and it was lifted up from the ground. It was made to stand on two feet like a human being, and a human mind was given to it. 5 "Then a second beast appeared, like a bear. It was raised up on one side, and there were three ribs in its mouth between its teeth. It was told, 'Get up and devour much flesh!' 6 "After these things, as I was watching, another beast like a leopard appeared, with four bird-like wings on its back. This beast had four heads, and ruling authority was given to it.

7 WLC

7 בָּאתַר דְּנָה חָזֵה הֲוֵית בְּחֶזְוֵי לֵילְיָא וַאֲרוּ חֵיוָה [רְבִיעָיָה כ] (רְבִיעָאָה ק) דְּחִילָה וְאֵימְתָנִי וְתַקִּיפָא יַתִּירָא וְשִׁנַּיִן דִּי־פַרְזֶל לַהּ רַבְרְבָן אָכְלָה וּמַדֱּקָה וּשְׁאָרָא [בְּרַגְלַיהּ כ] (בְּרַגְלַהּ ק) רָפְסָה וְהִיא מְשַׁנְּיָה מִן־כָּל־חֵיוָתָא דִּי קָדָמַיהּ וְקַרְנַיִן עֲשַׂר לַהּ׃

8 מִשְׂתַּכַּל הֲוֵית בְּקַרְנַיָּא וַאֲלוּ קֶרֶן אָחֳרִי זְעֵירָה סִלְקָת [בֵּינֵיהוֹן כ] (בֵּינֵיהֵן ק) וּתְלָת מִן־קַרְנַיָּא קַדְמָיָתָא [אֶתְעֲקַרוּ כ] (אֶתְעֲקַרָה ק) מִן־[קֳדָמַיַּהּ כ] (קֳדָמַהּ ק) וַאֲלוּ עַיְנִין כְּעַיְנֵי אֲנָשָׁא בְּקַרְנָא־דָא וּפֻם מְמַלִּל רַבְרְבָן׃

맛싸성경

7 그 후에 내가 밤에 환상을 보고 있었는데 보아라, 네 번째 짐승은 두렵고 무서웠으며 대단히 강했고 그것에는 큰 철의 이빨들이 있어서 그것은 삼켰고 부서뜨렸으며 나머지는 그의 발들로 짓밟았다. 그것은 그전의 모든 짐승들과 달랐고 그것에게는 10 개의 뿔이 있었다. 8 내가 그 뿔들에 대해서 생각하고 있었는데 보아라, 다른 작은 뿔이 그것들 사이에서 올라왔고 그 이전의 세 뿔들이 그것 앞에서 뽑혀졌다. 보아라, 이 뿔은 사람의 눈들과 같은 눈(들)이었고 입은 대단한 것들을 말했다.

NET

7 "After these things, as I was watching in the night visions a fourth beast appeared—one dreadful, terrible, and very strong. It had two large rows of iron teeth. It devoured and crushed, and anything that was left it trampled with its feet. It was different from all the beasts that came before it, and it had 10 horns. 8 "As I was contemplating the horns, another horn—a small one—came up between them, and three of the former horns were torn out by the roots to make room for it. This horn had eyes resembling human eyes and a mouth speaking arrogant things.

7 WLC

9 חָזֵה הֲוֵית עַד דִּי כָרְסָוָן רְמִיו וְעַתִּיק יוֹמִין יְתִב לְבוּשֵׁהּ ׀ כִּתְלַג חִוָּר וּשְׂעַר
רֵאשֵׁהּ כַּעֲמַר נְקֵא כָּרְסְיֵהּ שְׁבִיבִין דִּי־נוּר גַּלְגִּלּוֹהִי נוּר דָּלִק׃

10 נְהַר דִּי־נוּר נָגֵד וְנָפֵק מִן־קֳדָמוֹהִי אֶלֶף [אַלְפִים כ] (אַלְפִין ק) יְשַׁמְּשׁוּנֵּהּ
וְרִבּוֹ [רִבְּוָן כ] (רִבְבָן ק) קֳדָמוֹהִי יְקוּמוּן דִּינָא יְתִב וְסִפְרִין פְּתִיחוּ׃

11 חָזֵה הֲוֵית בֵּאדַיִן מִן־קָל מִלַּיָּא רַבְרְבָתָא דִּי קַרְנָא מְמַלֱּלָה חָזֵה הֲוֵית
עַד דִּי קְטִילַת חֵיוְתָא וְהוּבַד גִּשְׁמַהּ וִיהִיבַת לִיקֵדַת אֶשָּׁא׃

12 וּשְׁאָר חֵיוָתָא הֶעְדִּיו שָׁלְטָנְהוֹן וְאַרְכָה בְחַיִּין יְהִיבַת לְהוֹן עַד־זְמַן וְעִדָּן׃

맛싸성경

9 "내가 왕좌들이 놓일 때까지 보고 있었고 태초(매우 나이든)의 날들부터 계신 분이 앉아 계셨다. 그의 옷은 눈같이 희고 그의 머리의 머리카락은 양털같이 희며 그의 왕좌는 불의 화염이고 그의 바퀴들은 타오르는 불이었다. 10 불의 강이 흘렀고 그의 앞에서부터 흘러나왔으며 천천 (사람)들이 그를 시중들었고 만만의 (사람)들이 그 앞에 서 있었다. 심판이 놓였고 책들이 열렸다. 11 그때 나는 그 뿔이 말하는 대단한 말의 음성으로 인해서 (그것들을) 보고 있었다. 그 짐승이 살해될 때까지 나는 그것을 보고 있었고 그것의 몸은 파괴되어 그것은 타는 불속으로 던져졌다. 12 그 짐승들의 나머지는 그들의 통치권이 넘겨졌으나 수명은 때와 연수까지 그것들에게 (연장되어) 주어졌다."

NET

9 "While I was watching, thrones were set up, and the Ancient of Days took his seat. His attire was white like snow; the hair of his head was like lamb's wool. His throne was ablaze with fire, and its wheels were all aflame. 10 A river of fire was streaming forth and proceeding from his presence. Many thousands were ministering to him; many tens of thousands stood ready to serve him. The court convened, and the books were opened. 11 "Then I kept on watching because of the arrogant words of the horn that was speaking. I was watching until the beast was killed and its body destroyed and thrown into the flaming fire. 12 As for the rest of the beasts, their ruling authority had already been removed, though they were permitted to go on living for a time and a season.

7 WLC

13 חָזֵה הֲוֵית בְּחֶזְוֵי לֵילְיָא וַאֲרוּ עִם־עֲנָנֵי שְׁמַיָּא כְּבַר אֱנָשׁ אָתֵה הֲוָה וְעַד־
עַתִּיק יוֹמַיָּא מְטָה וּקְדָמוֹהִי הַקְרְבוּהִי׃

14 וְלֵהּ יְהִיב שָׁלְטָן וִיקָר וּמַלְכוּ וְכֹל עַמְמַיָּא אֻמַיָּא וְלִשָּׁנַיָּא לֵהּ יִפְלְחוּן
שָׁלְטָנֵהּ שָׁלְטָן עָלַם דִּי־לָא יֶעְדֵּה וּמַלְכוּתֵהּ דִּי־לָא תִתְחַבַּל׃ פ

맛싸성경

13 "나는 밤에 환상을 보고 있었고 보아라, 사람의 아들 같은 이가 하늘의 구름과 함께 오고 계셨다. 그는 태초의 날들부터 계신 분에게 접근하였고 그들이 그를 그분 앞으로 가까이 데려갔다. 14 그에게 통치권과 영광과 왕국이 주어졌고 모든 백성과 나라들과 (다른) 언어를 쓰는 자들이 그를 섬겼다. 그의 통치권은 옮겨지지 않을 영원한 통치권이었으며 그의 왕국은 멸망하지 않는 것이었다.

NET

13 "I was watching in the night visions, and with the clouds of the sky, one like a son of man was approaching. He went up to the Ancient of Days and was escorted before him. 14 To him was given ruling authority, honor, and sovereignty. All peoples, nations, and language groups were serving him. His authority is eternal and will not pass away. His kingdom will not be destroyed.

7 WLC

15 אֶתְכְּרִיַּת רוּחִי אֲנָה דָנִיֵּאל בְּגוֹא נִדְנֶה וְחֶזְוֵי רֵאשִׁי יְבַהֲלֻנַּנִי׃

16 קִרְבֵת עַל־חַד מִן־קָאֲמַיָּא וְיַצִּיבָא אֶבְעֵא־מִנֵּהּ עַל־כָּל־דְּנָה וַאֲמַר־לִי
וּפְשַׁר מִלַּיָּא יְהוֹדְעִנַּנִי׃

17 אִלֵּין חֵיוָתָא רַבְרְבָתָא דִּי אִנִּין אַרְבַּע אַרְבְּעָה מַלְכִין יְקוּמוּן מִן־אַרְעָא׃

18 וִיקַבְּלוּן מַלְכוּתָא קַדִּישֵׁי עֶלְיוֹנִין וְיַחְסְנוּן מַלְכוּתָא עַד־עָלְמָא וְעַד עָלַם
עָלְמַיָּא׃

맛싸성경

15 나 다니엘은 내 영이 내 안에서 근심하고 있었고 내 머리의 환상들은 나를 두렵게 하였다. **16** 나는 서 있는 자들 중에 한 사람에게로 가까이 갔고 그로부터 이 모든 것에 대해서 참 의미를 물었다. 그가 내게 말했고 그 일들의 해석을 내게 알게 하였다. **17** 이들 큰 짐승들은 4 마리로 네 왕들이다. 그것들은 땅에서부터 일어날 것이라. **18** 그러나 가장 높으신 분들의 성도들이 왕국을 받을 것이다. 그들이 그 왕국을 소유할 것이니 영원까지이며 영원(들)의 영원까지이다."

NET

15 "As for me, Daniel, my spirit was distressed, and the visions of my mind were alarming me. **16** I approached one of those standing nearby and asked him about the meaning of all this. So he spoke with me and revealed to me the interpretation of the vision: **17** 'These large beasts, which are four in number, represent four kings who will arise from the earth. **18** The holy ones of the Most High will receive the kingdom and will take possession of the kingdom forever and ever.'

7 WLC

19 אֱדַיִן צְבִית לְיַצָּבָא עַל־חֵיוְתָא רְבִיעָיְתָא דִּי־הֲוָת שָׁנְיָה מִן־[כָּלְהֹון כ]
(כָּלְהֵין ק) דְּחִילָה יַתִּירָה [שִׁנַּיַּהּ כ] (שִׁנַּהּ ק) דִּי־פַרְזֶל וְטִפְרַיהּ דִּי־נְחָשׁ
אָכְלָה מַדֱּקָה וּשְׁאָרָא בְּרַגְלַיהּ רָפְסָה׃

20 וְעַל־קַרְנַיָּא עֲשַׂר דִּי בְרֵאשַׁהּ וְאָחֳרִי דִּי סִלְקַת [וּנְפַלוּ כ] (וּנְפַלָה ק)
מִן־[קֳדָמַיַּהּ כ] (קֳדָמַהּ ק) תְּלָת וְקַרְנָא דִכֵּן וְעַיְנִין לַהּ וְפֻם מְמַלִּל רַבְרְבָן
וְחֶזְוַהּ רַב מִן־חַבְרָתַהּ׃

21 חָזֵה הֲוֵית וְקַרְנָא דִכֵּן עָבְדָה קְרָב עִם־קַדִּישִׁין וְיָכְלָה לְהֹון׃

22 עַד דִּי־אֲתָה עַתִּיק יֹומַיָּא וְדִינָא יְהִב לְקַדִּישֵׁי עֶלְיֹונִין וְזִמְנָא מְטָה
וּמַלְכוּתָא הֶחֱסִנוּ קַדִּישִׁין׃

맛싸성경

19 "그때 나는 넷째 짐승에 대해 확실히 하고(알고) 싶었는데 (그것은) 모든 것과 달랐다. 대단히 무섭고 철로 된 이빨들과 놋쇠의 발톱으로 삼켰으며 부서뜨렸고 나머지는 발들로 짓밟았으며 20 그 머리에 있는 10 개의 뿔들에 대해서 (새로) 올라온 다른 것에 대해서 그 앞에서부터 3 개가 빠진 것과 그에게 눈(들)이 있는 뿔과 대단한 것들을 말하는 입과 그것의 모양이 그것의 동료들보다 더 큰 것에 대한 것이라. 21 내가 보고 있었으니 이 뿔이 성도들과 함께 전쟁을 하고 있었고 그들을 능가하였는데 22 태초의 날들부터 계신 분이 오실 때까지 또 가장 높으신 분들의 성도들에게 심판이 주어질 때까지이다. 또 성도들이 그 왕국을 소유할 그 시간이 이를 때까지라."

NET

19 "Then I wanted to know the meaning of the fourth beast, which was different from all the others. It was very dreadful, with two rows of iron teeth and bronze claws, and it devoured, crushed, and trampled anything that was left with its feet. 20 I also wanted to know the meaning of the 10 horns on its head, and of that other horn that came up and before which three others fell. This was the horn that had eyes and a mouth speaking arrogant things, whose appearance was more formidable than the others. 21 While I was watching, that horn began to wage war against the holy ones and was defeating them, 22 until the Ancient of Days arrived and judgment was rendered in favor of the holy ones of the Most High. Then the time came for the holy ones to take possession of the kingdom.

7 WLC

23 כֵּן אֲמַר חֵיוְתָא רְבִיעָיְתָא מַלְכוּ [רְבִיעָיָא כ] (רְבִיעָאָה ק) תֶּהֱוֵא בְאַרְעָא דִּי תִשְׁנֵא מִן־כָּל־מַלְכְוָתָא וְתֵאכֻל כָּל־אַרְעָא וּתְדוּשִׁנַּהּ וְתַדְּקִנַּהּ׃

24 וְקַרְנַיָּא עֲשַׂר מִנַּהּ מַלְכוּתָה עַשְׂרָה מַלְכִין יְקֻמוּן וְאָחֳרָן יְקוּם אַחֲרֵיהוֹן וְהוּא יִשְׁנֵא מִן־קַדְמָיֵא וּתְלָתָה מַלְכִין יְהַשְׁפִּל׃

25 וּמִלִּין לְצַד [עִלָּיָא כ] (עִלָּאָה ק) יְמַלִּל וּלְקַדִּישֵׁי עֶלְיוֹנִין יְבַלֵּא וְיִסְבַּר לְהַשְׁנָיָה זִמְנִין וְדָת וְיִתְיַהֲבוּן בִּידֵהּ עַד־עִדָּן וְעִדָּנִין וּפְלַג עִדָּן׃

26 וְדִינָא יִתִּב וְשָׁלְטָנֵהּ יְהַעְדּוֹן לְהַשְׁמָדָה וּלְהוֹבָדָה עַד־סוֹפָא׃

맛싸성경

23 그래서 그가 말했다. "넷째 짐승은 넷째 왕국으로 그것은 땅에서 나타날 것이며 모든 왕국들보다 다를 것이다. 모든 땅을 삼키고 그것을 짓밟으며 부숴버릴 것이다. 24 그것에서부터 (나온) 10 개의 뿔들은 10 개의 왕국들로 왕들이 일어날 것이다. 그것들 후에 다른 자가 일어나고 그는 처음 (왕)과 다를 것이며 그가 세 왕들을 낮출 것이라. 25 그가 가장 높으신 분을 대항하여 말들을 말할 것이고 그가 가장 높으신 분들의 성도들을 괴롭힐 것이라. 그가 때들과 법을 바꾸려고 생각할 것이며 그(성도)들에게 한 때와 두 때와 반 때를 그의 손에 줄 것이라. 26 그러나 심판이 놓일 것이다. 그들은 그의 통치권을 빼앗을 것이고 그를 멸망시키며 마지막까지 파괴할 것이다.

NET

23 "This is what he told me: 'The fourth beast means that there will be a fourth kingdom on earth that will differ from all the other kingdoms. It will devour all the earth and will trample and crush it. 24 The 10 horns mean that 10 kings will arise from that kingdom. Another king will arise after them, but he will be different from the earlier ones. He will humiliate three kings. 25 He will speak words against the Most High. He will harass the holy ones of the Most High continually. His intention will be to change times established by law. The holy ones will be delivered into his hand for a time, times, and half a time. 26 But the court will convene, and his ruling authority will be removed—destroyed and abolished forever!

7 WLC

27 וּמַלְכוּתָה וְשָׁלְטָנָא וּרְבוּתָא דִּי מַלְכְוָת תְּחוֹת כָּל־שְׁמַיָּא יְהִיבַת לְעַם קַדִּישֵׁי עֶלְיוֹנִין מַלְכוּתֵהּ מַלְכוּת עָלַם וְכֹל שָׁלְטָנַיָּא לֵהּ יִפְלְחוּן וְיִשְׁתַּמְּעוּן׃

28 עַד־כָּה סוֹפָא דִי־מִלְּתָא אֲנָה דָנִיֵּאל שַׂגִּיא ׀ רַעְיוֹנַי יְבַהֲלֻנַּנִי וְזִיוַי יִשְׁתַּנּוֹן עֲלַי וּמִלְּתָא בְּלִבִּי נִטְרֵת׃ פ

맛싸성경

27 왕국과 통치권과 모든 하늘의 밑에 있는 왕국들의 위대함이 가장 높으신 분의 성도들의 백성에게 주어질 것이다. 그분의 왕국은 영원한 왕국이고 모든 통치자들이 그분을 섬길 것이며 그(통치자)들이 그분에게 순종할 것이다." **28** "여기까지가 그 일의 마지막이다. 나 다니엘은 내 생각들이 나를 매우 두렵게 하였고 내 안색은 내게서 변했으나 나는 그 일을 내 마음에 간직하고 있다."

NET

27 Then the kingdom, authority, and greatness of the kingdoms under the whole heaven will be delivered to the people of the holy ones of the Most High. His kingdom is an eternal kingdom; all authorities will serve him and obey him.' **28** "This is the conclusion of the matter. As for me, Daniel, my thoughts troubled me greatly, and the color drained from my face. But I kept the matter to myself."

8 WLC

1 בִּשְׁנַת שָׁלוֹשׁ לְמַלְכוּת בֵּלְאשַׁצַּר הַמֶּלֶךְ חָזוֹן נִרְאָה אֵלַי אֲנִי דָנִיֵּאל אַחֲרֵי
הַנִּרְאָה אֵלַי בַּתְּחִלָּה׃

2 וָאֶרְאֶה בֶּחָזוֹן וַיְהִי בִּרְאֹתִי וַאֲנִי בְּשׁוּשַׁן הַבִּירָה אֲשֶׁר בְּעֵילָם הַמְּדִינָה
וָאֶרְאֶה בֶּחָזוֹן וַאֲנִי הָיִיתִי עַל־אוּבַל אוּלָי׃

3 וָאֶשָּׂא עֵינַי וָאֶרְאֶה וְהִנֵּה ׀ אַיִל אֶחָד עֹמֵד לִפְנֵי הָאֻבָל וְלוֹ קְרָנָיִם
וְהַקְּרָנַיִם גְּבֹהוֹת וְהָאַחַת גְּבֹהָה מִן־הַשֵּׁנִית וְהַגְּבֹהָה עֹלָה בָּאַחֲרֹנָה׃

4 רָאִיתִי אֶת־הָאַיִל מְנַגֵּחַ יָמָּה וְצָפוֹנָה וָנֶגְבָּה וְכָל־חַיּוֹת לֹא־יַעַמְדוּ לְפָנָיו
וְאֵין מַצִּיל מִיָּדוֹ וְעָשָׂה כִרְצֹנוֹ וְהִגְדִּיל׃

맛싸성경

1 벨사살 왕의 통치 3 년에 환상이 나 다니엘에게 보였는데 처음에 나에게 나타났던 후였다. 2 내가 환상 중에 보았고 내가 볼 때 나는 엘람 지방에 있는 수산 궁에 있었다. 또 나는 환상 중에 보았고 나는 울라이(을래)강에 있었다. 3 나는 내 눈들을 들어 보니 보아라, 숫양 1 마리가 그 강에 서 있었고 그것에는 두 뿔(들)이 있었다. 두 뿔은 높이 나와 있었으며 하나는 두 번째 것보다 높이 나와 있었고 높은 것은 나중에 올라 왔다. 4 내가 서쪽과 북쪽과 남쪽을 향하여 들이받는 숫양을 보았는데 그 앞에서 어떤 동물도 맞설 수 없었으며 그것의 세력에서부터 구출할 자가 없었다. 그것은 자기가 원하는 대로 행하였고 자신을 높였다.

NET

1 In the third year of King Belshazzar's reign, a vision appeared to me, Daniel, after the one that had appeared to me previously. 2 In this vision I saw myself in Susa the citadel, which is located in the province of Elam. In the vision I saw myself at the Ulai Canal. 3 I looked up and saw a ram with two horns standing at the canal. Its two horns were both long, but one was longer than the other. The longer one was coming up after the shorter one. 4 I saw that the ram was butting westward, northward, and southward. No animal was able to stand before it, and there was none who could deliver from its power. It did as it pleased and acted arrogantly.

8 WLC

5 וַאֲנִי ׀ הָיִיתִי מֵבִין וְהִנֵּה צְפִיר־הָעִזִּים בָּא מִן־הַמַּעֲרָב עַל־פְּנֵי כָל־הָאָרֶץ וְאֵין נוֹגֵעַ בָּאָרֶץ וְהַצָּפִיר קֶרֶן חָזוּת בֵּין עֵינָיו׃

6 וַיָּבֹא עַד־הָאַיִל בַּעַל הַקְּרָנַיִם אֲשֶׁר רָאִיתִי עֹמֵד לִפְנֵי הָאֻבָל וַיָּרָץ אֵלָיו בַּחֲמַת כֹּחוֹ׃

7 וּרְאִיתִיו מַגִּיעַ ׀ אֵצֶל הָאַיִל וַיִּתְמַרְמַר אֵלָיו וַיַּךְ אֶת־הָאַיִל וַיְשַׁבֵּר אֶת־שְׁתֵּי קְרָנָיו וְלֹא־הָיָה כֹחַ בָּאַיִל לַעֲמֹד לְפָנָיו וַיַּשְׁלִיכֵהוּ אַרְצָה וַיִּרְמְסֵהוּ וְלֹא־הָיָה מַצִּיל לָאַיִל מִיָּדוֹ׃

8 וּצְפִיר הָעִזִּים הִגְדִּיל עַד־מְאֹד וּכְעָצְמוֹ נִשְׁבְּרָה הַקֶּרֶן הַגְּדוֹלָה וַתַּעֲלֶנָה חָזוּת אַרְבַּע תַּחְתֶּיהָ לְאַרְבַּע רוּחוֹת הַשָּׁמָיִם׃

맛싸성경

5 나는 생각하고 있었는데 보아라, 숫염소가 온 땅의 지면 위에서 서쪽에서부터 왔으나 그것은 땅에 닿지 않았다. 그 숫염소는 그의 눈들 사이에 탁월한 뿔이 있었다. **6** 그것은 내가 본 강 앞에 서 있는 두 뿔의 주인인 숫양에게로 갔다. 그것은 분노하여 그의 힘으로 그것에게 달려갔다. **7** 나는 숫양 옆에서 들이받는 것을 보았고 그것은 스스로 격노했고 그 숫양을 쳐서 두 뿔을 부러뜨렸으나 숫양에게는 그것(숫염소)을 맞설 힘이 그것 앞에서 없었다. 그것(숫염소)은 그것(숫양)을 땅으로 던져버렸고 그것을 짓밟았으나 그것(숫염소)의 세력에서부터 숫양을 구출할 자가 없었다. **8** 그러자 숫염소는 자신을 매우 높였다. 그러나 그것이 강해졌을 때 그 큰 뿔이 부러졌고 그것을 대신해서 4 개의 탁월한 뿔이 하늘의 4 개의 바람을 향해서 올라왔다.

NET

5 While I was contemplating all this, a male goat was coming from the west over the surface of all the land without touching the ground. This goat had a conspicuous horn between its eyes. **6** It came to the two-horned ram that I had seen standing beside the canal and rushed against it with raging strength. **7** I saw it approaching the ram. It went into a fit of rage against the ram and struck it and broke off its two horns. The ram had no ability to resist it. The goat hurled the ram to the ground and trampled it. No one could deliver the ram from its power. **8** The male goat acted even more arrogantly. But no sooner had the large horn become strong than it was broken, and there arose four conspicuous horns in its place, extending toward the four winds of the sky.

8 WLC

9 וּמִן־הָאַחַת מֵהֶם יָצָא קֶרֶן־אַחַת מִצְּעִירָה וַתִּגְדַּל־יֶתֶר אֶל־הַנֶּגֶב וְאֶל־הַמִּזְרָח וְאֶל־הַצֶּבִי:

10 וַתִּגְדַּל עַד־צְבָא הַשָּׁמָיִם וַתַּפֵּל אַרְצָה מִן־הַצָּבָא וּמִן־הַכּוֹכָבִים וַתִּרְמְסֵם:

11 וְעַד שַׂר־הַצָּבָא הִגְדִּיל וּמִמֶּנּוּ [הֵרִים כ] (הוּרַם ק) הַתָּמִיד וְהֻשְׁלַךְ מְכוֹן מִקְדָּשׁוֹ:

12 וְצָבָא תִּנָּתֵן עַל־הַתָּמִיד בְּפָשַׁע וְתַשְׁלֵךְ אֱמֶת אַרְצָה וְעָשְׂתָה וְהִצְלִיחָה:

13 וָאֶשְׁמְעָה אֶחָד־קָדוֹשׁ מְדַבֵּר וַיֹּאמֶר אֶחָד קָדוֹשׁ לַפַּלְמוֹנִי הַמְדַבֵּר עַד־מָתַי הֶחָזוֹן הַתָּמִיד וְהַפֶּשַׁע שֹׁמֵם תֵּת וְקֹדֶשׁ וְצָבָא מִרְמָס:

14 וַיֹּאמֶר אֵלַי עַד עֶרֶב בֹּקֶר אַלְפַּיִם וּשְׁלֹשׁ מֵאוֹת וְנִצְדַּק קֹדֶשׁ:

맛싸성경

9 그것들 중의 하나에게서부터 다른 작은 뿔이 나왔고 그것은 남쪽과 동쪽과 아름다운 곳을 향해 대단하게(크게) 자랐다. 10 그것(작은 뿔)은 하늘 군대들까지 자랐다. 그것(작은 뿔)은 군대와 별들 중에 얼마를 땅으로 떨어뜨리고 그것들을 짓밟았다. 11 그것이 군대의 왕에게까지 자신을 높였다. 그것은 그분에게 항상 드리는 제물을 없애버렸고 성소의 장소도 헐어버렸다. 12 (하늘) 군대는 항상 드리는 제물을 위반함으로 넘겨주었다. 그것(작은 뿔)은 진리를 땅으로 내던졌고 (자기 뜻대로) 행동했으며 형통하였다. 13 그때 나는 거룩한 자가 말하는 것을 들었다. 다른 거룩한 자가 (먼저) 말하였던 다른 자에게 말했다. "항상 드리는 제물과 (도시를) 황폐케 만드는 위반과 성소와 (하나님의) 군대들을 짓밟게 하는 환상이 언제까지입니까?" 14 그가 내게 말했다. "2,300 일(저녁들과 아침들)까지이니 그때 성소가 의롭게 될 것이다."

NET

9 From one of them came a small horn, but it grew to be very great toward the south and the east and toward the beautiful land. 10 It grew so great it reached the army of heaven, and it brought about the fall of some of the army and some of the stars to the ground, where it trampled them. 11 It also acted arrogantly against the Prince of the army, from whom the daily sacrifice was removed and whose sanctuary was thrown down. 12 The army was given over, along with the daily sacrifice, in the course of his sinful rebellion. It hurled truth to the ground and enjoyed success. 13 Then I heard a holy one speaking. Another holy one said to the one who was speaking, "To what period of time does the vision pertain—this vision concerning the daily sacrifice and the destructive act of rebellion and the giving over of both the sanctuary and army to be trampled?" 14 He said to me, "To 2,300 evenings and mornings; then the sanctuary will be put right again."

8 WLC

15 וַיְהִ֗י בִּרְאֹתִ֛י אֲנִ֥י דָנִיֵּ֖אל אֶת־הֶחָז֑וֹן וָאֲבַקְשָׁ֣ה בִינָ֔ה וְהִנֵּ֛ה עֹמֵ֥ד לְנֶגְדִּ֖י כְּמַרְאֵה־גָֽבֶר׃

16 וָאֶשְׁמַ֥ע קוֹל־אָדָ֖ם בֵּ֣ין אוּלָ֑י וַיִּקְרָא֙ וַיֹּאמַ֔ר גַּבְרִיאֵ֕ל הָבֵ֥ן לְהַלָּ֖ז אֶת־הַמַּרְאֶֽה׃

17 וַיָּבֹא֙ אֵ֣צֶל עָמְדִ֔י וּבְבֹא֣וֹ נִבְעַ֔תִּי וָאֶפְּלָ֖ה עַל־פָּנָ֑י וַיֹּ֧אמֶר אֵלַ֛י הָבֵ֥ן בֶּן־אָדָ֖ם כִּ֥י לְעֶת־קֵ֖ץ הֶחָזֽוֹן׃

18 וּבְדַבְּר֣וֹ עִמִּ֔י נִרְדַּ֥מְתִּי עַל־פָּנַ֖י אָ֑רְצָה וַיִּגַּע־בִּ֔י וַיַּֽעֲמִידֵ֖נִי עַל־עָמְדִֽי׃

19 וַיֹּ֗אמֶר הִנְנִ֤י מוֹדִֽיעֲךָ֙ אֵ֥ת אֲשֶׁר־יִהְיֶ֖ה בְּאַחֲרִ֣ית הַזָּ֑עַם כִּ֖י לְמוֹעֵ֥ד קֵֽץ׃

맛싸성경

15 나 다니엘이 그 환상을 보고 있을 때였다. 곧 내가 이해하려고 구할 때였으니 보아라, 사람 같은 (자가) 내 앞에 서 있었다. 16 나는 울라이(을래)강 사이에서 사람의 소리를 들었다. 그가 소리쳤으며 그가 말했다. "가브리엘아, 그 환상에 대하여 이 사람에게 깨닫게 하여라." 17 그래서 그는 내가 서 있는 옆으로 왔고 그가 올 때 나는 놀라서 내 얼굴을 (땅에) 대고 엎드렸다. 그러나 그가 내게 말했다. "사람의 아들아, 그 환상은 마지막 때에 대한 것이라." 18 그가 나와 함께 말할 때 나는 내 얼굴을 땅에 대고 정신을 잃었다. 그러나 그는 나를 만졌고 그는 내가 서도록 나를 세웠다. 19 그가 말했다. "보아라, 진노의 (날) 이후에 있을 일을 네게 알게 하겠으니 이것은 마지막 정한 때에 관한 것이라.

NET

15 While I, Daniel, was watching the vision, I sought to understand it. Now one who appeared to be a man was standing before me. 16 Then I heard a human voice coming from between the banks of the Ulai. It called out, "Gabriel, enable this person to understand the vision." 17 So he approached the place where I was standing. As he came, I felt terrified and fell flat on the ground. Then he said to me, "Understand, son of man, that the vision pertains to the time of the end." 18 As he spoke with me, I fell into a trance with my face to the ground. But he touched me and stood me upright. 19 Then he said, "I am going to inform you about what will happen in the latter time of wrath, for the vision pertains to the appointed time of the end.

8 WLC

20 הָאַיִל אֲשֶׁר־רָאִיתָ בַּעַל הַקְּרָנָיִם מַלְכֵי מָדַי וּפָרָס׃

21 וְהַצָּפִיר הַשָּׂעִיר מֶלֶךְ יָוָן וְהַקֶּרֶן הַגְּדוֹלָה אֲשֶׁר בֵּין־עֵינָיו הוּא הַמֶּלֶךְ הָרִאשׁוֹן׃

22 וְהַנִּשְׁבֶּרֶת וַתַּעֲמֹדְנָה אַרְבַּע תַּחְתֶּיהָ אַרְבַּע מַלְכֻיוֹת מִגּוֹי יַעֲמֹדְנָה וְלֹא בְכֹחוֹ׃

23 וּבְאַחֲרִית מַלְכוּתָם כְּהָתֵם הַפֹּשְׁעִים יַעֲמֹד מֶלֶךְ עַז־פָּנִים וּמֵבִין חִידוֹת׃

24 וְעָצַם כֹּחוֹ וְלֹא בְכֹחוֹ וְנִפְלָאוֹת יַשְׁחִית וְהִצְלִיחַ וְעָשָׂה וְהִשְׁחִית עֲצוּמִים וְעַם־קְדֹשִׁים׃

맛싸성경

20 네가 본 두 뿔들을 가진 숫양은 메대와 페르시아의 왕들이다. 21 털 달린 숫염소는 그리스 왕이다. 그것의 양 눈 사이에 있는 큰 뿔은 첫 번째 왕이다. 22 그 뿔이 부서지고 그것을 대신하여 4 개가 일어선 것은 네 왕국들이며 그들은 민족들로부터 일어설 것이나 그의 힘에는 미치지 못할 것이다. 23 그들 왕국의 마지막에 곧 불법자들이 (불법이) 마칠 때 무례한 얼굴과 애매모호한 말들을 하는 왕이 일어날 것이다. 24 그의 힘은 강해질 것이나 자기의 힘으로는 아니며 그는 놀라운 것들을 파괴하고 그는 형통할 것이다. 그는 (자기 마음대로) 행하고 강한 자들과 거룩한 자들을 멸할 것이다.

NET

20 The ram that you saw with the two horns stands for the kings of Media and Persia. 21 The male goat is the king of Greece, and the large horn between its eyes is the first king. 22 The horn that was broken and in whose place there arose four others stands for four kingdoms that will arise from his nation, though they will not have his strength. 23 Toward the end of their rule, when rebellious acts are complete, a rash and deceitful king will arise. 24 His power will be great, but it will not be by his strength alone. He will cause terrible destruction. He will be successful in what he undertakes. He will destroy powerful people and the people of the holy ones.

8 WLC

25 וְעַל־שִׂכְלוֹ וְהִצְלִיחַ מִרְמָה בְּיָדוֹ וּבִלְבָבוֹ יַגְדִּיל וּבְשַׁלְוָה יַשְׁחִית רַבִּים וְעַל־שַׂר־שָׂרִים יַעֲמֹד וּבְאֶפֶס יָד יִשָּׁבֵר׃

26 וּמַרְאֵה הָעֶרֶב וְהַבֹּקֶר אֲשֶׁר נֶאֱמַר אֱמֶת הוּא וְאַתָּה סְתֹם הֶחָזוֹן כִּי לְיָמִים רַבִּים׃

27 וַאֲנִי דָנִיֵּאל נִהְיֵיתִי וְנֶחֱלֵיתִי יָמִים וָאָקוּם וָאֶעֱשֶׂה אֶת־מְלֶאכֶת הַמֶּלֶךְ וָאֶשְׁתּוֹמֵם עַל־הַמַּרְאֶה וְאֵין מֵבִין׃ פ

맛싸성경

25 그는 자기의 꾀로 자기 손안에서 속임수를 성공할 것이고 그는 자기 마음으로 (자신을) 크게 하며 안전할 때(경고 없이) 많은 자들을 멸망시킬 것이다. 그는 모든 통치자들(만왕)의 통치자(왕)에 대해서 일어설 것이나 그는 (도움의) 손이 없어 부서질 것이다. 26 (네게) 말한 저녁과 아침에 대한 환상은 사실이다. 그러나 너는 그 환상을 숨겨두리니 이는 그것들은 지금부터 많은 날들을(훗날을) 위한 것들이기 때문이다." 27 나 다니엘은 정신이 없었고 (여러) 날들 동안 아팠다가 나는 일어나 왕의 업무들을 하였다. 그러나 나는 환상에 관해서 놀랐으며 그것을 이해하지 못하였다.

NET

25 By his treachery he will succeed through deceit. He will have an arrogant attitude, and he will destroy many who are unaware of his schemes. He will rise up against the Prince of princes, yet he will be broken apart—but not by human agency. 26 The vision of the evenings and mornings that was told to you is correct. But you should seal up the vision, for it refers to a time many days from now." 27 I, Daniel, was exhausted and sick for days. Then I got up and again carried out the king's business. But I was astonished at the vision, and there was no one to explain it.

9 WLC

1 בִּשְׁנַת אַחַת לְדָרְיָוֶשׁ בֶּן־אֲחַשְׁוֵרוֹשׁ מִזֶּרַע מָדָי אֲשֶׁר הָמְלַךְ עַל מַלְכוּת כַּשְׂדִּים׃

2 בִּשְׁנַת אַחַת לְמָלְכוֹ אֲנִי דָּנִיֵּאל בִּינֹתִי בַּסְּפָרִים מִסְפַּר הַשָּׁנִים אֲשֶׁר הָיָה דְבַר־יְהוָה אֶל־יִרְמִיָה הַנָּבִיא לְמַלֹּאות לְחָרְבוֹת יְרוּשָׁלִַם שִׁבְעִים שָׁנָה׃

3 וָאֶתְּנָה אֶת־פָּנַי אֶל־אֲדֹנָי הָאֱלֹהִים לְבַקֵּשׁ תְּפִלָּה וְתַחֲנוּנִים בְּצוֹם וְשַׂק וָאֵפֶר׃

맛싸성경

1 메대의 후손 출신 아하쉐베로쉬(아하수에로)의 아들 다리오가 갈대아 왕국 위에 왕으로 되던 첫해 **2** 곧 그의 통치 첫해에 나 다니엘은 책들을 통해서 연수를 깨달았다. (곧) 선지자 예레미야에게 여호와의 말씀이 임했던 것으로 70 년 만에 예루살렘의 파괴의 회복에 (대한) 것이었다. **3** 그래서 나는 주님 하나님께 금식과 베옷과 재로 기도와 간구를 구하기 위하여 내 얼굴을 향했다.

NET

1 In the first year of Darius son of Ahasuerus, who was of Median descent and who had been appointed king over the Babylonian empire— **2** in the first year of his reign I, Daniel, came to understand from the sacred books that the number of years for the fulfilling of the desolation of Jerusalem, which had come as the Lord's message to the prophet Jeremiah, would be 70 years. **3** So I turned my attention to the Lord God to implore him by prayer and requests, with fasting, sackcloth, and ashes.

9 WLC

4 וָאֶתְפַּלְלָה לַיהוָה אֱלֹהַי וָאֶתְוַדֶּה וָאֹמְרָה אָנָּא אֲדֹנָי הָאֵל הַגָּדוֹל וְהַנּוֹרָא שֹׁמֵר הַבְּרִית וְהַחֶסֶד לְאֹהֲבָיו וּלְשֹׁמְרֵי מִצְוֹתָיו׃

5 חָטָאנוּ וְעָוִינוּ [וְהִרְשַׁעְנוּ כ] (הִרְשַׁעְנוּ ק) וּמָרָדְנוּ וְסוֹר מִמִּצְוֹתֶךָ וּמִמִּשְׁפָּטֶיךָ׃

6 וְלֹא שָׁמַעְנוּ אֶל־עֲבָדֶיךָ הַנְּבִיאִים אֲשֶׁר דִּבְּרוּ בְּשִׁמְךָ אֶל־מְלָכֵינוּ שָׂרֵינוּ וַאֲבֹתֵינוּ וְאֶל כָּל־עַם הָאָרֶץ׃

맛싸성경

4 나는 내 하나님 여호와께 기도하였고 나는 자백하여 말했다. "오 주님이시여! 위대하시고 두려우신 하나님! 그분을 사랑하는 자와 그분의 명령을 지키는 자들에게 언약과 인애를 지키시는 분이시여! 5 우리는 죄를 지었고 잘못을 하였으며 악을 행하였고 반항하였나이다. 우리는 주의 명령(들)과 주의 공의로부터 떠났나이다. 6 우리는 주의 종들 (곧) 선지자들을 듣지 않았으니 (그들은) 우리 왕들과 우리 통치자들과 우리 아버지(조상)들과 그 땅의 모든 백성들에게 주의 이름으로 말했던 자들이나이다.

NET

4 I prayed to the Lord my God, confessing in this way: “O Lord, great and awesome God who is faithful to his covenant with those who love him and keep his commandments, 5 we have sinned! We have done what is wrong and wicked; we have rebelled by turning away from your commandments and standards. 6 We have not paid attention to your servants the prophets, who spoke by your authority to our kings, our leaders, and our ancestors, and to all the inhabitants of the land as well.

9 WLC

7 לְךָ אֲדֹנָי הַצְּדָקָה וְלָנוּ בֹּשֶׁת הַפָּנִים כַּיּוֹם הַזֶּה לְאִישׁ יְהוּדָה וּלְיוֹשְׁבֵי יְרוּשָׁלִַם וּלְכָל־יִשְׂרָאֵל הַקְּרֹבִים וְהָרְחֹקִים בְּכָל־הָאֲרָצוֹת אֲשֶׁר הִדַּחְתָּם שָׁם בְּמַעֲלָם אֲשֶׁר מָעֲלוּ־בָךְ׃

8 יְהוָה לָנוּ בֹּשֶׁת הַפָּנִים לִמְלָכֵינוּ לְשָׂרֵינוּ וְלַאֲבֹתֵינוּ אֲשֶׁר חָטָאנוּ לָךְ׃

9 לַאדֹנָי אֱלֹהֵינוּ הָרַחֲמִים וְהַסְּלִחוֹת כִּי מָרַדְנוּ בּוֹ׃

10 וְלֹא שָׁמַעְנוּ בְּקוֹל יְהוָה אֱלֹהֵינוּ לָלֶכֶת בְּתוֹרֹתָיו אֲשֶׁר נָתַן לְפָנֵינוּ בְּיַד עֲבָדָיו הַנְּבִיאִים׃

맛싸성경

7 주님이시여! 의가 주께 있으나 우리에게는 오늘같이 얼굴에 수치가 있나이다. 곧 유다 사람과 예루살렘 거민들과 모든 이스라엘 사람들로 가까이 있는 자들과 멀리 있는 자들이니 그들은 주께 비신실하게 행한 그들의 비신실함으로 주께서 거기서 흩어버리신 모든 땅에 있던 자들이나이다. 8 여호와시여! 우리들에게 얼굴의 수치가 있으니 곧 우리 왕들과 우리 통치자들과 우리 아버지(조상)들이나이다. 이는 우리가 주께 죄를 지었기 때문이니이다. 9 주 우리 하나님께는 긍휼하심과 용서하심이 있나이다. 이는 우리가 그분께 반항하였고 10 또 우리는 우리 하나님 여호와의 음성을 듣지 않았으며 그분의 종들 곧 선지자들의 손으로 우리 앞에 주신 그분의 율법으로 걷지 않았음이니이다.

NET

7 "You are righteous, O Lord, but we are humiliated this day—the people of Judah and the inhabitants of Jerusalem and all Israel, both near and far away in all the countries in which you have scattered them because they have behaved unfaithfully toward you. 8 O Lord, we have been humiliated—our kings, our leaders, and our ancestors—because we have sinned against you. 9 Yet the Lord our God is compassionate and forgiving, even though we have rebelled against him. 10 We have not obeyed the Lord our God by living according to his laws that he set before us through his servants the prophets.

9 WLC

11 וְכָל־יִשְׂרָאֵל עָבְרוּ אֶת־תּוֹרָתֶךָ וְסוֹר לְבִלְתִּי שְׁמוֹעַ בְּקֹלֶךָ וַתִּתַּךְ עָלֵינוּ הָאָלָה וְהַשְּׁבֻעָה אֲשֶׁר כְּתוּבָה בְּתוֹרַת מֹשֶׁה עֶבֶד־הָאֱלֹהִים כִּי חָטָאנוּ לוֹ׃

12 וַיָּקֶם אֶת־[דְּבָרָיו כ] (דְּבָרוֹ ק) ׀ אֲשֶׁר־דִּבֶּר עָלֵינוּ וְעַל שֹׁפְטֵינוּ אֲשֶׁר שְׁפָטוּנוּ לְהָבִיא עָלֵינוּ רָעָה גְדֹלָה אֲשֶׁר לֹא־נֶעֶשְׂתָה תַּחַת כָּל־הַשָּׁמַיִם כַּאֲשֶׁר נֶעֶשְׂתָה בִּירוּשָׁלִָם׃

13 כַּאֲשֶׁר כָּתוּב בְּתוֹרַת מֹשֶׁה אֵת כָּל־הָרָעָה הַזֹּאת בָּאָה עָלֵינוּ וְלֹא־חִלִּינוּ אֶת־פְּנֵי ׀ יְהוָה אֱלֹהֵינוּ לָשׁוּב מֵעֲוֹנֵנוּ וּלְהַשְׂכִּיל בַּאֲמִתֶּךָ׃

14 וַיִּשְׁקֹד יְהוָה עַל־הָרָעָה וַיְבִיאֶהָ עָלֵינוּ כִּי־צַדִּיק יְהוָה אֱלֹהֵינוּ עַל־כָּל־מַעֲשָׂיו אֲשֶׁר עָשָׂה וְלֹא שָׁמַעְנוּ בְּקֹלוֹ׃

맛싸성경

11 모든 이스라엘은 주의 율법을 위반하였으며 그들은 거기서 떠나 주의 음성을 들으려 하지 않았나이다. 그래서 하나님의 종 모세의 율법에 기록하여 맹세하신 그 저주가 우리에게 쏟아졌으니 이는 우리가 그분께 죄를 지었기 때문이니이다. 12 그분이 우리에게 큰 재앙을 가져오셔서 우리와 우리를 심판하였던 우리의 심판관들에게 말씀하신 그분의 말씀을 이루셨나이다. 예루살렘에서 행하여진 것 같은 (큰 재앙은) 모든 하늘 아래서 행하여지지 않았던 것이니이다. 13 모세의 율법에 기록된 것같이 이 모든 재앙이 우리들에게 왔나이다. 그러나 우리는 우리 하나님 여호와의 얼굴(들)을 가라앉히지 않고 우리 죄책에서부터 돌아서지 않았으며 주의 진리를 이해하지도 못하였나이다. 14 그러므로 여호와께서는 그 재앙을 지켜보셨으며 주는 그것을 우리들에게 가져오셨나이다. 우리 하나님 여호와께서는 그분이 행하신 모든 행함에 관해서 의로우시나 우리는 그분의 음성을 듣지 않았나이다.

NET

11 “All Israel has broken your law and turned away by not obeying you. Therefore you have poured out on us the judgment solemnly threatened in the law of Moses the servant of God, for we have sinned against you. 12 He has carried out his threats against us and our rulers who were over us by bringing great calamity on us—what has happened to Jerusalem has never been equaled under all heaven! 13 Just as it is written in the law of Moses, so all this calamity has come on us. Still we have not tried to pacify the Lord our God by turning back from our sin and by seeking wisdom from your reliable moral standards. 14 The Lord was mindful of the calamity, and he brought it on us. For the Lord our God is just in all he has done, and we have not obeyed him.

9 WLC

15 וְעַתָּה ׀ אֲדֹנָי אֱלֹהֵינוּ אֲשֶׁר הוֹצֵאתָ אֶת־עַמְּךָ מֵאֶרֶץ מִצְרַיִם בְּיָד חֲזָקָה
וַתַּעַשׂ־לְךָ שֵׁם כַּיּוֹם הַזֶּה חָטָאנוּ רָשָׁעְנוּ׃

16 אֲדֹנָי כְּכָל־צִדְקֹתֶךָ יָשָׁב־נָא אַפְּךָ וַחֲמָתְךָ מֵעִירְךָ יְרוּשָׁלִַם הַר־קָדְשֶׁךָ
כִּי בַחֲטָאֵינוּ וּבַעֲוֺנוֹת אֲבֹתֵינוּ יְרוּשָׁלִַם וְעַמְּךָ לְחֶרְפָּה לְכָל־סְבִיבֹתֵינוּ׃

맛싸성경

15 이제 주님 우리 하나님이시여! 주께서 강한 손으로 주의 백성을 이집트 땅에서 이끌어내셔서 오늘같이 주를 위해서 이름을 알리셨으나 우리는 죄를 지었고 (우리는) 사악을 행하였나이다." 16 "주님이시여! 주의 모든 의로우심을 따라서 이제 주의 노와 주의 진노를 주의 거룩한 산(에 있는) 주의 도시인 예루살렘에서부터 (방향을) 돌려주옵소서. 이는 우리들의 죄와 우리 아버지(조상)들의 죄책으로 예루살렘과 주의 백성이 우리 주위에 있는 모든 자들에게 조롱거리가 되었음이니이다.

NET

15 "Now, O Lord our God, who brought your people out of the land of Egypt with great power and made a name for yourself that is remembered to this day—we have sinned and behaved wickedly. 16 O Lord, according to all your justice, please turn your raging anger away from your city Jerusalem, your holy mountain. For due to our sins and the iniquities of our ancestors, Jerusalem and your people are mocked by all our neighbors.

9 WLC

17 וְעַתָּה ׀ שְׁמַע אֱלֹהֵינוּ אֶל־תְּפִלַּת עַבְדְּךָ וְאֶל־תַּחֲנוּנָיו וְהָאֵר פָּנֶיךָ עַל־מִקְדָּשְׁךָ הַשָּׁמֵם לְמַעַן אֲדֹנָי׃

18 הַטֵּה אֱלֹהַי ׀ אָזְנְךָ וּשֲׁמָע [פְּקֶחָה כ] (פְּקַח ק) עֵינֶיךָ וּרְאֵה שֹׁמְמֹתֵינוּ וְהָעִיר אֲשֶׁר־נִקְרָא שִׁמְךָ עָלֶיהָ כִּי ׀ לֹא עַל־צִדְקֹתֵינוּ אֲנַחְנוּ מַפִּילִים תַּחֲנוּנֵינוּ לְפָנֶיךָ כִּי עַל־רַחֲמֶיךָ הָרַבִּים׃

19 אֲדֹנָי ׀ שְׁמָעָה אֲדֹנָי ׀ סְלָחָה אֲדֹנָי הַקֲשִׁיבָה וַעֲשֵׂה אַל־תְּאַחַר לְמַעַנְךָ אֱלֹהַי כִּי־שִׁמְךָ נִקְרָא עַל־עִירְךָ וְעַל־עַמֶּךָ׃

맛싸성경

17 그러므로 이제 우리 하나님이시여! 주의 종의 기도와 간구를 들어주시고 주의 얼굴(들)을 이 황폐한 주의 성소에 비추어 주소서. 이는 주님을 위함입니다. 18 나의 하나님이시여! 주의 귀를 향하여 들어주시고 주의 눈들을 열어주시며 우리의 황폐함과 주의 이름이 불리는 그 도시를 보아주소서. 이는 우리는 우리의 의 때문에 주 앞에 우리의 간구를 내놓은 것이 아니라 오히려 주의 크신 긍휼하심 때문이니이다. 19 주님이시여! 들어주옵소서. 주님이시여! 용서하여 주옵소서. 주님이시여! 귀를 기울여 주시고 행하여 주소서. 나의 하나님이시여! 주를 위하여 지체하지 마소서. 이는 주의 도시와 주의 백성이 주의 이름으로 불리기 때문이니이다."

NET

17 "So now, our God, accept the prayer and requests of your servant, and show favor to your devastated sanctuary for your own sake. 18 Listen attentively, my God, and hear! Open your eyes and look on our desolated ruins and the city called by your name. For it is not because of our own righteous deeds that we are praying to you, but because your compassion is abundant. 19 O Lord, hear! O Lord, forgive! O Lord, pay attention, and act! Don't delay, for your own sake, O my God! For your city and your people are called by your name."

9 WLC

20 וְעוֹד אֲנִי מְדַבֵּר וּמִתְפַּלֵּל וּמִתְוַדֶּה חַטָּאתִי וְחַטַּאת עַמִּי יִשְׂרָאֵל וּמַפִּיל
תְּחִנָּתִי לִפְנֵי יְהוָה אֱלֹהַי עַל הַר־קֹדֶשׁ אֱלֹהָי׃

21 וְעוֹד אֲנִי מְדַבֵּר בַּתְּפִלָּה וְהָאִישׁ גַּבְרִיאֵל אֲשֶׁר רָאִיתִי בֶחָזוֹן בַּתְּחִלָּה
מֻעָף בִּיעָף נֹגֵעַ אֵלַי כְּעֵת מִנְחַת־עָרֶב׃

22 וַיָּבֶן וַיְדַבֵּר עִמִּי וַיֹּאמַר דָּנִיֵּאל עַתָּה יָצָאתִי לְהַשְׂכִּילְךָ בִינָה׃

23 בִּתְחִלַּת תַּחֲנוּנֶיךָ יָצָא דָבָר וַאֲנִי בָּאתִי לְהַגִּיד כִּי חֲמוּדוֹת אָתָּה וּבִין
בַּדָּבָר וְהָבֵן בַּמַּרְאֶה׃

맛싸성경

20 내가 말을 하고 기도하며 내 죄와 내 백성 이스라엘의 죄를 자백하고 내 간구함을 내 하나님 거룩한 산에서 내 하나님 여호와 앞에서 내놓은 동안 21 곧 내가 기도로 말을 하는 동안 내가 환상 중에 처음 보았던 한 사람인 가브리엘이 재빨리 날아서 저녁 곡식제(드릴) 때 나를 만졌다. 22 그는 (나를) 깨닫게 하였고 나와 함께 말했다. 그가 말했다. "다니엘아, 이제 네게 이해력을 (주어) 네가 이해하도록 하려고 왔다. 23 네 간구의 처음에(간구를 시작할 때) 말씀이 나왔고 나는 말해 주려고 왔으니 이는 너는 기뻐하는 자라. 그러므로 이 말씀을 이해하며 그 환상을 분별하라."

NET

20 While I was still speaking and praying, confessing my sin and the sin of my people Israel and presenting my request before the Lord my God concerning his holy mountain— 21 yes, while I was still praying, the man Gabriel, whom I had seen previously in a vision, was approaching me in my state of extreme weariness, around the time of the evening offering. 22 He spoke with me, instructing me as follows: "Daniel, I have now come to impart understanding to you. 23 At the beginning of your requests a message went out, and I have come to convey it to you, for you are of great value in God's sight. Therefore consider the message and understand the vision:

9 WLC

24 שָׁבֻעִים שִׁבְעִים נֶחְתַּךְ עַל־עַמְּךָ ׀ וְעַל־עִיר קָדְשֶׁךָ לְכַלֵּא הַפֶּשַׁע
[וּלַחְתֹּם כ] (וּלְהָתֵם ק) [חַטָּאוֹת כ] (חַטָּאת ק) וּלְכַפֵּר עָוֺן וּלְהָבִיא צֶדֶק
עֹלָמִים וְלַחְתֹּם חָזוֹן וְנָבִיא וְלִמְשֹׁחַ קֹדֶשׁ קָדָשִׁים׃

25 וְתֵדַע וְתַשְׂכֵּל מִן־מֹצָא דָבָר לְהָשִׁיב וְלִבְנוֹת יְרוּשָׁלִַם עַד־מָשִׁיחַ נָגִיד
שָׁבֻעִים שִׁבְעָה וְשָׁבֻעִים שִׁשִּׁים וּשְׁנַיִם תָּשׁוּב וְנִבְנְתָה רְחוֹב וְחָרוּץ וּבְצוֹק
הָעִתִּים׃

26 וְאַחֲרֵי הַשָּׁבֻעִים שִׁשִּׁים וּשְׁנַיִם יִכָּרֵת מָשִׁיחַ וְאֵין לוֹ וְהָעִיר וְהַקֹּדֶשׁ
יַשְׁחִית עַם נָגִיד הַבָּא וְקִצּוֹ בַשֶּׁטֶף וְעַד קֵץ מִלְחָמָה נֶחֱרֶצֶת שֹׁמֵמוֹת׃

27 וְהִגְבִּיר בְּרִית לָרַבִּים שָׁבוּעַ אֶחָד וַחֲצִי הַשָּׁבוּעַ יַשְׁבִּית ׀ זֶבַח וּמִנְחָה
וְעַל כְּנַף שִׁקּוּצִים מְשֹׁמֵם וְעַד־כָּלָה וְנֶחֱרָצָה תִּתַּךְ עַל־שֹׁמֵם׃ פ

맛싸성경

24 "70 주가 너의 백성과 너의 거룩한 도시를 위해서 확정되었으니 곧 위반을 마치게 하고 죄를 끝내며 위법을 속죄하고 영원한 의를 가져오기 위한 것이라. 환상과 예언을 봉하고 거룩한 자들의 거룩한 분을 기름 붓기 위한 것이라. **25** 그러므로 너는 알고 이해하라. 예루살렘을 회복하고 건설하기 위한 말(명령)이 나올 때부터 기름 부음 받은 자 곧 통치자가 나올 때까지 7주와 62 주가 있을 것이며 광장과 거리가 다시 건설될 것이니 고난의 기간 중이라. **26** 62 주가 있은 후에 기름 부음 받은 자가 없어질 것이며 그를 위한 것도 없어질 것이라. 앞으로 올 통치자의 백성이 도시와 성소를 파괴할 것이고 그 마지막은 홍수로 올 것이며 전쟁은 마지막까지 있을 것이고 황폐한 것들이 작정되었다. **27** 그가 한 주 (동안) 많은 자들과 언약을 굳게 할 것이다. 그가 (한) 주의 절반에 희생제와 곡식제를 끝내고 혐오스러운 것들의 날개가 황폐케 하는 자에게 있을 것이며 끝날 때까지 작정된 것은 황폐케 하는 자위로 쏟아질 것이다."

NET

24 "Seventy weeks have been determined concerning your people and your holy city to put an end to rebellion, to bring sin to completion, to atone for iniquity, to bring in perpetual righteousness, to seal up the prophetic vision, and to anoint a Most Holy Place. **25** So know and understand: From the issuing of the command to restore and rebuild Jerusalem until an anointed one, a prince arrives, there will be a period of seven weeks and sixty-two weeks. It will again be built, with plaza and moat, but in distressful times. **26** Now after the sixty-two weeks, an anointed one will be cut off and have nothing. As for the city and the sanctuary, the people of the coming prince will destroy them. But his end will come speedily like a flood. Until the end of the war that has been decreed there will be destruction. **27** He will confirm a covenant with many for one week. But in the middle of that week he will bring sacrifices and offerings to a halt. On the wing of abominations will come one who destroys, until the decreed end is poured out on the one who destroys."

10 WLC

1 בִּשְׁנַת שָׁלוֹשׁ לְכוֹרֶשׁ מֶלֶךְ פָּרַס דָּבָר נִגְלָה לְדָנִיֵּאל אֲשֶׁר־נִקְרָא שְׁמוֹ
בֵּלְטְשַׁאצַּר וֶאֱמֶת הַדָּבָר וְצָבָא גָדוֹל וּבִין אֶת־הַדָּבָר וּבִינָה לוֹ בַּמַּרְאֶה׃

2 בַּיָּמִים הָהֵם אֲנִי דָנִיֵּאל הָיִיתִי מִתְאַבֵּל שְׁלֹשָׁה שָׁבֻעִים יָמִים׃

3 לֶחֶם חֲמֻדוֹת לֹא אָכַלְתִּי וּבָשָׂר וָיַיִן לֹא־בָא אֶל־פִּי וְסוֹךְ לֹא־סָכְתִּי
עַד־מְלֹאת שְׁלֹשֶׁת שָׁבֻעִים יָמִים׃ פ

맛싸성경

1 페르시아 왕 고레스 3 년에 그의 이름이 벨드사살이라고 불리는 다니엘에게 말씀이 계시되었다. 그 말씀은 참이었고 그것은 큰 전쟁에 (대한) 것이니 그는 그 말씀을 깨달았고 환상 중에 그에게 깨달음이 있었다. 2 그날들 (동안)에 나 다니엘은 3 주간을 애도하고 있었다. 3 나는 맛있는 음식을 먹지 않았고 고기와 술을 나의 입에 대지 않았으며 (나는) 기름을 바르지 않았다. 3 주간의 날들이 채워질 때까지였다.

NET

1 In the third year of King Cyrus of Persia a message was revealed to Daniel (who was also called Belteshazzar). This message was true and concerned a great war. He understood the message and gained insight by the vision. 2 In those days I, Daniel, was mourning for three whole weeks. 3 I ate no choice food, no meat or wine came to my lips, nor did I anoint myself with oil until the end of those three weeks.

10 WLC

4 וּבְיוֹם עֶשְׂרִים וְאַרְבָּעָה לַחֹדֶשׁ הָרִאשׁוֹן וַאֲנִי הָיִיתִי עַל יַד הַנָּהָר הַגָּדוֹל הוּא חִדָּקֶל׃

5 וָאֶשָּׂא אֶת־עֵינַי וָאֵרֶא וְהִנֵּה אִישׁ־אֶחָד לָבוּשׁ בַּדִּים וּמָתְנָיו חֲגֻרִים בְּכֶתֶם אוּפָז׃

6 וּגְוִיָּתוֹ כְתַרְשִׁישׁ וּפָנָיו כְּמַרְאֵה בָרָק וְעֵינָיו כְּלַפִּידֵי אֵשׁ וּזְרֹעֹתָיו וּמַרְגְּלֹתָיו כְּעֵין נְחֹשֶׁת קָלָל וְקוֹל דְּבָרָיו כְּקוֹל הָמוֹן׃

맛싸성경

4 첫 번째 달 24 일이었다. 나는 큰 강 힛데겔 강가에 있었다. 5 나는 내 눈을 들어 보았고 보아라, 세마포를 입은 한 사람이 있었다. 그의 허리들은 우바스의 금으로 띠를 두르고 있었다. 6 그의 몸은 크리솔라이트(황옥) 같았고 그의 얼굴(들)은 번개의 모양과 같았으며 그의 눈들은 불의 횃불과 같았고 그의 팔들과 그의 발들은 빛나는 놋쇠의 외면 같았다. 그의 말들의 목소리는 무리(군중)들의 소리 같았다.

NET

4 On the twenty-fourth day of the first month I was beside the great river, the Tigris. 5 I looked up and saw a man clothed in linen; around his waist was a belt made of gold from Ufaz. 6 His body resembled yellow jasper, and his face had an appearance like lightning. His eyes were like blazing torches; his arms and feet had the gleam of polished bronze. His voice thundered forth like the sound of a large crowd.

10 WLC

7 וְרָאִיתִי אֲנִי דָנִיֵּאל לְבַדִּי אֶת־הַמַּרְאָה וְהָאֲנָשִׁים אֲשֶׁר הָיוּ עִמִּי לֹא רָאוּ אֶת־הַמַּרְאָה אֲבָל חֲרָדָה גְדֹלָה נָפְלָה עֲלֵיהֶם וַיִּבְרְחוּ בְּהֵחָבֵא׃

8 וַאֲנִי נִשְׁאַרְתִּי לְבַדִּי וָאֶרְאֶה אֶת־הַמַּרְאָה הַגְּדֹלָה הַזֹּאת וְלֹא נִשְׁאַר־בִּי כֹּחַ וְהוֹדִי נֶהְפַּךְ עָלַי לְמַשְׁחִית וְלֹא עָצַרְתִּי כֹּחַ׃

9 וָאֶשְׁמַע אֶת־קוֹל דְּבָרָיו וּכְשָׁמְעִי אֶת־קוֹל דְּבָרָיו וַאֲנִי הָיִיתִי נִרְדָּם עַל־פָּנַי וּפָנַי אָרְצָה׃

10 וְהִנֵּה־יָד נָגְעָה בִּי וַתְּנִיעֵנִי עַל־בִּרְכַּי וְכַפּוֹת יָדָי׃

맛싸성경

7 나 다니엘은 혼자서 그 환상을 보았으며 나와 함께 있었던 사람들은 그 환상을 보지 못했다. 그러나 큰 공포가 그들 위에 임하였고 그들은 숨으려고 도망했다. 8 나는 혼자 남았고 (나는) 이 큰 환상을 보았으며 내게는 힘이 남아있지 않았다. 내 안색은 내게서 좋지 않게 변했고 나는 힘을 유지하지 못했다. 9 나는 그의 말(들)의 소리를 들었다. 내가 그의 말(들)의 소리를 들었을 때 내 얼굴은 정신을 잃고 내 얼굴을 땅에 (대었다). 10 보아라, (한) 손이 나를 만졌다. 그는 나를 내 무릎과 내 손의 손바닥 위로 흔들리게 하였다.

NET

7 Only I, Daniel, saw the vision; the men who were with me did not see it. On the contrary, they were overcome with fright and ran away to hide. 8 I alone was left to see this great vision. My strength drained from me, and my vigor disappeared; I was without energy. 9 I listened to his voice, and as I did so I fell into a trance-like sleep with my face to the ground. 10 Then a hand touched me and set me on my hands and knees.

10 WLC

11 וַיֹּאמֶר אֵלַי דָּנִיֵּאל אִישׁ־חֲמֻדוֹת הָבֵן בַּדְּבָרִים אֲשֶׁר אָנֹכִי דֹּבֵר אֵלֶיךָ וַעֲמֹד עַל־עָמְדֶךָ כִּי עַתָּה שֻׁלַּחְתִּי אֵלֶיךָ וּבְדַבְּרוֹ עִמִּי אֶת־הַדָּבָר הַזֶּה עָמַדְתִּי מַרְעִיד׃

12 וַיֹּאמֶר אֵלַי אַל־תִּירָא דָנִיֵּאל כִּי ׀ מִן־הַיּוֹם הָרִאשׁוֹן אֲשֶׁר נָתַתָּ אֶת־לִבְּךָ לְהָבִין וּלְהִתְעַנּוֹת לִפְנֵי אֱלֹהֶיךָ נִשְׁמְעוּ דְבָרֶיךָ וַאֲנִי־בָאתִי בִּדְבָרֶיךָ׃

13 וְשַׂר ׀ מַלְכוּת פָּרַס עֹמֵד לְנֶגְדִּי עֶשְׂרִים וְאֶחָד יוֹם וְהִנֵּה מִיכָאֵל אַחַד הַשָּׂרִים הָרִאשֹׁנִים בָּא לְעָזְרֵנִי וַאֲנִי נוֹתַרְתִּי שָׁם אֵצֶל מַלְכֵי פָרָס׃

14 וּבָאתִי לַהֲבִינְךָ אֵת אֲשֶׁר־יִקְרָה לְעַמְּךָ בְּאַחֲרִית הַיָּמִים כִּי־עוֹד חָזוֹן לַיָּמִים׃

맛싸성경

11 그가 내게 말했다. "소중한 사람 다니엘아, 내가 너에게 말하는 말들을 잘 이해하여 네 자리에서 일어서라. 이는 이제 내가 네게 보냄 받았기 때문이다." 그가 나와 함께 이 말들을 할 때 나는 떨면서 일어섰다. 12 그가 내게 말했다. "다니엘아, 너는 두려워하지 마라. 이는 네가 이해하고 네 하나님 앞에서 낮추려고 네 마음을 둔 첫날부터 네 말들이 응답되었다. 나는 네 말들을 위하여 왔다. 13 그러나 페르시아 왕국의 통치자가 21 일간 내 앞에 서 있었고(가로막았고) 보아라, 최고 통치자들 중에 하나인 미가엘이 나를 도우러 왔다. 나는 페르시아 왕들 옆 거기 남겨져 있었고 14 나는 이후의 날들에 네 백성들에게 일어날 (일)을 깨닫게 하려고 왔다. 이는 그 환상은 아직도 (이후의) 많은 날들을 위한 것이기 때문이라."

NET

11 He said to me, "Daniel, you are of great value. Understand the words that I am about to speak to you. So stand up, for I have now been sent to you." When he said this to me, I stood up shaking. 12 Then he said to me, "Don't be afraid, Daniel, for from the very first day you applied your mind to understand and to humble yourself before your God, your words were heard. I have come in response to your words. 13 However, the prince of the kingdom of Persia was opposing me for 21 days. But Michael, one of the leading princes, came to help me, because I was left there with the kings of Persia. 14 Now I have come to help you understand what will happen to your people in future days, for the vision pertains to days to come."

10 WLC

15 וּבְדַבְּרוֹ עִמִּי כַּדְּבָרִים הָאֵלֶּה נָתַתִּי פָנַי אַרְצָה וְנֶאֱלָמְתִּי׃

16 וְהִנֵּה כִּדְמוּת בְּנֵי אָדָם נֹגֵעַ עַל־שְׂפָתָי וָאֶפְתַּח־פִּי וָאֲדַבְּרָה וָאֹמְרָה אֶל־הָעֹמֵד לְנֶגְדִּי אֲדֹנִי בַּמַּרְאָה נֶהֶפְכוּ צִירַי עָלַי וְלֹא עָצַרְתִּי כֹּחַ׃

17 וְהֵיךְ יוּכַל עֶבֶד אֲדֹנִי זֶה לְדַבֵּר עִם־אֲדֹנִי זֶה וַאֲנִי מֵעַתָּה לֹא־יַעֲמָד־בִּי כֹחַ וּנְשָׁמָה לֹא נִשְׁאֲרָה־בִי׃

맛싸성경

15 그가 이 말들에 대해서 나와 함께 말할 때 나는 내 얼굴을 땅으로 두었고 나는 벙어리가 되었다. **16** 보아라, 사람의 아들들의 모양 같은 이가 내 입술을 만졌다. 그때 나는 내 입을 열어 말했고 내가 내 앞에 서 있는 자에게 말했다. "주님이시여! 그 환상으로 인해서 나의 번민이 내게 임했으며 나는 힘을 유지하지 못했습니다. **17** 어떻게 내 주님의 종이 내 주님과 함께 말을 할 수 있습니까? 나는 지금 내게 힘이 없으며 내 안에 호흡이 남아있지 않습니다."

NET

15 While he was saying this to me, I was flat on the ground and unable to speak. **16** Then one who appeared to be a human being was touching my lips. I opened my mouth and started to speak, saying to the one who was standing before me, "Sir, due to the vision, anxiety has gripped me and I have no strength. **17** How, sir, am I able to speak with you? My strength is gone, and I am breathless."

10 WLC

18 וַיֹּסֶף וַיִּגַּע־בִּי כְּמַרְאֵה אָדָם וַיְחַזְּקֵנִי׃

19 וַיֹּאמֶר אַל־תִּירָא אִישׁ־חֲמֻדוֹת שָׁלוֹם לָךְ חֲזַק וַחֲזָק וּבְדַבְּרוֹ עִמִּי הִתְחַזַּקְתִּי וָאֹמְרָה יְדַבֵּר אֲדֹנִי כִּי חִזַּקְתָּנִי׃

20 וַיֹּאמֶר הֲיָדַעְתָּ לָמָּה־בָּאתִי אֵלֶיךָ וְעַתָּה אָשׁוּב לְהִלָּחֵם עִם־שַׂר פָּרָס וַאֲנִי יוֹצֵא וְהִנֵּה שַׂר־יָוָן בָּא׃

21 אֲבָל אַגִּיד לְךָ אֶת־הָרָשׁוּם בִּכְתָב אֱמֶת וְאֵין אֶחָד מִתְחַזֵּק עִמִּי עַל־אֵלֶּה כִּי אִם־מִיכָאֵל שַׂרְכֶם׃ פ

맛싸성경

18 사람의 모양과 같은 이가 계속하여 나를 만졌으니 그가 나를 힘 있게 하였다. 19 그가 말했다. "소중한 사람아, 너는 두려워하지 마라. 네게 평안이 있어라. 강하고 강하라." 그가 나와 함께 말할 때 나는 강하여져서 (나는) 말했다. "주님께서 말씀하소서. 이는 당신이 나를 강하게 하셨음이라." 20 그가 말했다. "내가 왜 네게 왔는지 너는 아느냐? 이제 곧 내가 페르시아 통치자와 싸우기 위해서 돌아갈 것이다. 내가 나갈 그 때 보아라, 그리스의 통치자가 올 것이라. 21 그러나 내가 진리의 책에 쓰인 것을 네게 말할 것이다. 그(악인)들을 반대해서 내 옆에서 (나를) 힘차게 (도와) 주는 자는 너희들의 사령관 미가엘밖에 없다."

NET

18 Then the one who appeared to be a human being touched me again and strengthened me. 19 He said to me, "Don't be afraid, you who are highly valued. Peace be to you! Be strong! Be really strong!" When he spoke to me, I was strengthened. I said, "Sir, you may speak now, for you have given me strength." 20 He said, "Do you know why I have come to you? Now I am about to return to engage in battle with the prince of Persia. When I go, the prince of Greece is coming. 21 However, I will first tell you what is written in a dependable book. (There is no one who strengthens me against these princes, except Michael your prince.

11 WLC

1 וַאֲנִי בִּשְׁנַת אַחַת לְדָרְיָוֶשׁ הַמָּדִי עָמְדִי לְמַחֲזִיק וּלְמָעוֹז לוֹ׃

2 וְעַתָּה אֱמֶת אַגִּיד לָךְ הִנֵּה־עוֹד שְׁלֹשָׁה מְלָכִים עֹמְדִים לְפָרַס וְהָרְבִיעִי
יַעֲשִׁיר עֹשֶׁר־גָּדוֹל מִכֹּל וּכְחֶזְקָתוֹ בְעָשְׁרוֹ יָעִיר הַכֹּל אֵת מַלְכוּת יָוָן׃

3 וְעָמַד מֶלֶךְ גִּבּוֹר וּמָשַׁל מִמְשָׁל רַב וְעָשָׂה כִּרְצוֹנוֹ׃

4 וּכְעָמְדוֹ תִּשָּׁבֵר מַלְכוּתוֹ וְתֵחָץ לְאַרְבַּע רוּחוֹת הַשָּׁמָיִם וְלֹא לְאַחֲרִיתוֹ
וְלֹא כְמָשְׁלוֹאֲשֶׁר מָשָׁל כִּי תִנָּתֵשׁ מַלְכוּתוֹ וְלַאֲחֵרִים מִלְּבַד־אֵלֶּה׃

맛싸성경

1 "메대 사람 다리오가 왕 1 년에 내가 서서 그를 강하게 해주고 또 세워주려 하였다. 2 이제 내가 네게 진리를 말할 것이라. 보아라, 페르시아를 위하여 3 명의 왕들이 설 것이고 네 번째는 그들 모두보다 더 큰 부로 (자기를) 부하게 만들 것이며 그의 부로 인해 그가 강해질 때 그는 그리스의 왕국을 (치기 위해서) 모든 자들을 격동시킬 것이다. 3 그 후에 영웅인 왕이 일어날 것이다. 그가 큰 통치권으로 통치할 것이며 그는 그가 원하는 대로 행동할 것이다. 4 그가 일어남에 따라서 그의 나라는 쪼개질 것이며 그것은 하늘(들)의 네 바람으로 나누어질 것이다. 그것(그의 나라)은 그의 후계자에게도 아니며 또 그가 통치했던 그의 통치에 따르지도 않을 것이니 이는 그의 왕국이 제거될 것이며 이들 외에 다른 사람들에게 주어질 것임이라.

NET

1 "And in the first year of Darius the Mede, I stood to strengthen him and to provide protection for him.) 2 Now I will tell you the truth. "Three more kings will arise for Persia. Then a fourth king will be unusually rich, more so than all who preceded him. When he has amassed power through his riches, he will stir up everyone against the kingdom of Greece. 3 Then a powerful king will arise, exercising great authority and doing as he pleases. 4 Shortly after his rise to power, his kingdom will be broken up and distributed toward the four winds of the sky—but not to his posterity or with the authority he exercised, for his kingdom will be uprooted and distributed to others besides these.

11 WLC

5 וְיֶחֱזַק מֶלֶךְ־הַנֶּגֶב וּמִן־שָׂרָיו וְיֶחֱזַק עָלָיו וּמָשָׁל מִמְשָׁל רַב מֶמְשַׁלְתּוֹ׃

6 וּלְקֵץ שָׁנִים יִתְחַבָּרוּ וּבַת מֶלֶךְ־הַנֶּגֶב תָּבוֹא אֶל־מֶלֶךְ הַצָּפוֹן לַעֲשׂוֹת מֵישָׁרִים וְלֹא־תַעְצֹר כּוֹחַ הַזְּרוֹעַ וְלֹא יַעֲמֹד וּזְרֹעוֹ וְתִנָּתֵן הִיא וּמְבִיאֶיהָ וְהַיֹּלְדָהּ וּמַחֲזִקָהּ בָּעִתִּים׃

맛싸성경

5 남쪽 왕은 강해질 것이나 그의 통치자들 중에 (하나)일 것이다. 그는 그(남쪽 왕)보다 강할 것이며 그는 그의 왕국을 큰 통치권(으로) 통치할 것이다. 6 수년 끝에 그들은 연합할 것이며 남쪽 왕의 딸이 동맹을 맺기 위해서 북쪽 왕에게로 갈 것이다. 그러나 그 여자는 군대의 힘을 유지하지 못할 것이고 (나라는) 서지 못할 것이며 그의 힘도 없을 것이다. 오히려 그 여자와 그 여자를 데려간 자(수행원)와 그 여자를 낳은 자와 그 당시 그 여자를 강하게 했던 자는 넘겨질 것이다.

NET

5 "Then the king of the south and one of his subordinates will grow strong. His subordinate will resist him and will rule a kingdom greater than his. 6 After some years have passed, they will form an alliance. Then the daughter of the king of the south will come to the king of the north to make an agreement, but she will not retain her power, nor will he continue in his strength. She, together with the one who brought her, her child, and her benefactor will all be delivered over at that time.

WLC

7 וְעָמַד מִנֵּצֶר שָׁרָשֶׁיהָ כַּנּוֹ וְיָבֹא אֶל־הַחַיִל וְיָבֹא בְּמָעוֹז מֶלֶךְ הַצָּפוֹן וְעָשָׂה בָהֶם וְהֶחֱזִיק׃

8 וְגַם אֱלֹהֵיהֶם עִם־נְסִכֵיהֶם עִם־כְּלֵי חֶמְדָּתָם כֶּסֶף וְזָהָב בַּשְּׁבִי יָבִא מִצְרָיִם וְהוּא שָׁנִים יַעֲמֹד מִמֶּלֶךְ הַצָּפוֹן׃

9 וּבָא בְּמַלְכוּת מֶלֶךְ הַנֶּגֶב וְשָׁב אֶל־אַדְמָתוֹ׃

10 [וּבְנוֹ כ] (וּבָנָיו ק) יִתְגָּרוּ וְאָסְפוּ הֲמוֹן חֲיָלִים רַבִּים וּבָא בוֹא וְשָׁטַף וְעָבַר וְיָשֹׁב [וְיִתְגָּרוּ כ] (וְיִתְגָּרֶה ק) עַד־[מָעֻזָּה כ] (מָעֻזּוֹ ק)׃

맛싸성경

7 그러나 그 여자의 뿌리의 가지로부터 하나가 그 자리에 설 것이다. 그가 (북쪽의 왕의) 군대에게로 나갈 것이고 그는 북쪽 왕의 요새로 들어갈 것이며 그가 그들을 대항할 것이고 우세할 것이다. 8 그가 또한 그들의 신들을 그들의 부어 만든 우상들과 함께 또 그들의 은과 금의 귀중한 물품들과 함께 이집트로 포로로 가져갈 것이다. 그는 수년을 북쪽 왕 (공격)으로부터 더 서 있을 것이라(북쪽 왕을 치지 않을 것이다). 9 그 후에 그(북쪽 왕)가 남쪽 왕의 왕국으로 (쳐)들어갈 것이나 그(북쪽 왕)는 자기의 땅으로 되돌아갈 것이다. 10 그의 아들들이 (전쟁에) 관여되어 많은 군대들의 무리들을 모을 것이며 그는 올 것이고 흘러넘쳐 (휩쓸고) 지나갈 것이다. 그는 요새까지 전쟁을 준비할 것이다.

NET

7 "There will arise in his place one from her family line who will come against their army and will enter the stronghold of the king of the north and will move against them successfully. 8 He will also take their gods into captivity to Egypt, along with their cast images and prized utensils of silver and gold. Then he will withdraw for some years from the king of the north. 9 Then the king of the north will advance against the empire of the king of the south, but will withdraw to his own land. 10 His sons will wage war, mustering a large army that will advance like an overflowing river and carrying the battle all the way to the enemy's fortress.

11 WLC

11 וְיִתְמַרְמַר מֶלֶךְ הַנֶּגֶב וְיָצָא וְנִלְחַם עִמּוֹ עִם־מֶלֶךְ הַצָּפוֹן וְהֶעֱמִיד הָמוֹן רָב וְנִתַּן הֶהָמוֹן בְּיָדוֹ׃

12 וְנִשָּׂא הֶהָמוֹן [יָרוּם כ] (וְרָם ק) לְבָבוֹ וְהִפִּיל רִבֹּאוֹת וְלֹא יָעוֹז׃

13 וְשָׁב מֶלֶךְ הַצָּפוֹן וְהֶעֱמִיד הָמוֹן רַב מִן־הָרִאשׁוֹן וּלְקֵץ הָעִתִּים שָׁנִים יָבוֹא בוֹא בְּחַיִל גָּדוֹל וּבִרְכוּשׁ רָב׃

맛싸성경

11 그러면 남쪽 왕이 분노할 것이고 그는 나가서 북쪽 왕과 전쟁을 할 것이다. 그(북쪽 왕)가 많은 군대를 세울 것이나 무리들이 그(남쪽 왕)의 손에 주어질 것이다. 12 많은 무리들이 (잡혀) 옮겨질 것이고 그(남쪽 왕)의 마음은 높아질 것이다. 그는 수만의 무리들을 넘어뜨릴 것이나 그는 힘을 주지(이기지) 못할 것이다. 13 (이는) 북쪽 왕이 처음보다 더 많은 무리들을 세워 다시 올 것이기 때문이다. 수 년이 (지난) 때들의 끝에 그는 큰 군대와 많은 보급품과 함께 반드시 올 것이다.

NET

11 "Then the king of the south will be enraged and will march out to fight against the king of the north, who will also muster a large army, but that army will be delivered into his hand. 12 When the army is taken away, the king of the south will become arrogant. He will be responsible for the death of thousands and thousands of people, but he will not continue to prevail. 13 For the king of the north will again muster an army, one larger than before. At the end of some years he will advance with a huge army and enormous supplies.

11 WLC

14 וּבָעִתִּים הָהֵם רַבִּים יַעַמְדוּ עַל־מֶלֶךְ הַנֶּגֶב וּבְנֵי ׀ פָּרִיצֵי עַמְּךָ יִנַּשְּׂאוּ לְהַעֲמִיד חָזוֹן וְנִכְשָׁלוּ׃

15 וְיָבֹא מֶלֶךְ הַצָּפוֹן וְיִשְׁפֹּךְ סוֹלֲלָה וְלָכַד עִיר מִבְצָרוֹת וּזְרֹעוֹת הַנֶּגֶב לֹא יַעֲמֹדוּ וְעַם מִבְחָרָיו וְאֵין כֹּחַ לַעֲמֹד׃

16 וְיַעַשׂ הַבָּא אֵלָיו כִּרְצוֹנוֹ וְאֵין עוֹמֵד לְפָנָיו וְיַעֲמֹד בְּאֶרֶץ־הַצְּבִי וְכָלָה בְיָדוֹ׃

17 וְיָשֵׂם ׀ פָּנָיו לָבוֹא בְּתֹקֶף כָּל־מַלְכוּתוֹ וִישָׁרִים עִמּוֹ וְעָשָׂה וּבַת הַנָּשִׁים יִתֶּן־לוֹ לְהַשְׁחִיתָהּ וְלֹא תַעֲמֹד וְלֹא־לוֹ תִהְיֶה׃

맛싸성경

14 그때 많은 사람들이 남쪽 왕을 대항하여 설 것이다. 네 백성의 무법자들의 아들들이 그 환상을 세우기(이루기) 위해서 그 자신을 높이나 그들은 넘어질 것이다. **15** 그러므로 북쪽 왕이 올 것이고 그는 공격용 경사로를 쌓을 것이며 요새가 된 도시를 그가 정복할 것이다. 남쪽의 군대들은 서지 못할 것이고 그의 선택된 자들의 백성도 그러하며 일어설 힘도 없을 것이다. **16** 그러나 그를 향해서 온 자(북방 침략자)는 자기 뜻대로 행할 것이며 그 앞에서 설 자가 없을 것이다. 그는 영광스러운 자의 땅에서 설 것이며 그의 손으로 완전히 파괴될 것이다. **17** 또 그의 모든 왕국과 힘으로 오려고 하는 자들에게 그는 자기의 얼굴(들)을 둘 것이며 그리고 그와 함께 약정을(혹, 올바른 자들) 할 것이다. 또 그는 여자들의 딸을 그에게 줄 것이나 그것을 파괴하니 그것은 서지 못하고 또 그를 위한 것이 되지 못할 것이다.

NET

14 "In those times many will oppose the king of the south. Those who are violent among your own people will rise up in confirmation of the vision, but they will falter. **15** Then the king of the north will advance and will build siege mounds and capture a well-fortified city. The forces of the south will not prevail, not even his finest contingents. They will have no strength to prevail. **16** The one advancing against him will do as he pleases, and no one will be able to stand before him. He will prevail in the beautiful land, and its annihilation will be within his power. **17** His intention will be to come with the strength of his entire kingdom, and he will form alliances. He will give the king of the south a daughter in marriage in order to destroy the kingdom, but it will not turn out to his advantage.

11 WLC

18 [וְיָשֵׁב כ] (וְיָשֵׂם ק) ׀ פָּנָיו לְאִיִּים וְלָכַד רַבִּים וְהִשְׁבִּית קָצִין חֶרְפָּתוֹ לוֹ בִּלְתִּי חֶרְפָּתוֹ יָשִׁיב לוֹ׃

19 וְיָשֵׁב פָּנָיו לְמָעוּזֵּי אַרְצוֹ וְנִכְשַׁל וְנָפַל וְלֹא יִמָּצֵא׃

20 וְעָמַד עַל־כַּנּוֹ מַעֲבִיר נוֹגֵשׂ הֶדֶר מַלְכוּת וּבְיָמִים אֲחָדִים יִשָּׁבֵר וְלֹא בְאַפַּיִם וְלֹא בְמִלְחָמָה׃

맛싸성경

18 그는 그의 얼굴을 섬들에게 돌릴 것이며 그는 많은 (나라들)을 정복할 것이다. 그러나 한 대장이 그에게 향한 비난을 멈추게 하며 그 자신에게 비난이 없도록 그에게 비난을 되돌려줄 것이다. **19** 그 후에 그는 그의 얼굴을 자기 땅의 요새들로 돌릴 것이다. 그러나 그는 넘어질 것이고 쓰러질 것이며 (더 이상) 찾아지지(보이지) 않을 것이다. **20** 그러면 그의 자리에 설 자가 그 왕국의 영화를 위해 세금을 걷는 자를 보낼 것이다. 그러나 몇 날 후에 그는 분노함이나 전쟁도 없이 멸망당할 것이다.

NET

18 Then he will turn his attention to the coastal regions and will capture many of them. But a commander will bring his shameful conduct to a halt; in addition, he will make him pay for his shameful conduct. **19** He will then turn his attention to the fortresses of his own land, but he will stumble and fall, not to be found again. **20** There will arise after him one who will send out an exactor of tribute to enhance the splendor of the kingdom, but after a few days he will be destroyed, though not in anger or battle.

11 WLC

21 וְעָמַד עַל־כַּנּוֹ נִבְזֶה וְלֹא־נָתְנוּ עָלָיו הוֹד מַלְכוּת וּבָא בְשַׁלְוָה וְהֶחֱזִיק מַלְכוּת בַּחֲלַקְלַקּוֹת׃

22 וּזְרֹעוֹת הַשֶּׁטֶף יִשָּׁטְפוּ מִלְּפָנָיו וְיִשָּׁבֵרוּ וְגַם נְגִיד בְּרִית׃

23 וּמִן־הִתְחַבְּרוּת אֵלָיו יַעֲשֶׂה מִרְמָה וְעָלָה וְעָצַם בִּמְעַט־גּוֹי׃

24 בְּשַׁלְוָה וּבְמִשְׁמַנֵּי מְדִינָה יָבוֹא וְעָשָׂה אֲשֶׁר לֹא־עָשׂוּ אֲבֹתָיו וַאֲבוֹת אֲבֹתָיו בִּזָּה וְשָׁלָל וּרְכוּשׁ לָהֶם יִבְזוֹר וְעַל מִבְצָרִים יְחַשֵּׁב מַחְשְׁבֹתָיו וְעַד־עֵת׃

맛싸성경

21 그의 자리에 멸시받는 사람이 일어설 것이며 사람들은 그에게 왕국의 위엄을 주지 않을 것이다. 그가 평온함으로 (공격해) 들어올 것이며 그는 계략들로 왕국을 강하게 만들 것이다. 22 홍수 같은 군대들이 그의 앞에서부터 쓸려나갈 것이며 언약의 지도자(동맹한 왕) 조차 파괴될 것이다. 23 그가 그와 동맹을 맺은 후에 그는 속임수를 행할 것이며 그는 올라와서 작은 나라(백성)들로도 강해질 것이다. 24 그가 평온할 때 지방의 부요한 곳으로 그는 (공격해) 들어갈 것이고 그는 그의 아버지(조상)들과 그의 아버지(조상)들의 아버지(조상)들이 행하지 않았던 일을 행할 것이며 그가 약탈물과 노략물과 소유물을 그들에게 나누어 줄 것이다. 그는 견고한 성(요새)에 대하여 그들의 계획을 계획할 것이나 잠시 동안 할 것이다.

NET

21 "Then there will arise in his place a despicable person to whom the royal honor has not been rightfully conferred. He will come on the scene in a time of prosperity and will seize the kingdom through deceit. 22 Armies will be suddenly swept away in defeat before him; both they and a covenant leader will be destroyed. 23 After entering into an alliance with him, he will behave treacherously; he will ascend to power with only a small force. 24 In a time of prosperity for the most productive areas of the province, he will come and accomplish what neither his fathers nor their fathers accomplished. He will distribute loot, spoils, and property to his followers, and he will devise plans against fortified cities, but not for long.

11 WLC

25 וְיָעֵר כֹּחוֹ וּלְבָבוֹ עַל־מֶלֶךְ הַנֶּגֶב בְּחַיִל גָּדוֹל וּמֶלֶךְ הַנֶּגֶב יִתְגָּרֶה לַמִּלְחָמָה בְּחַיִל־גָּדוֹל וְעָצוּם עַד־מְאֹד וְלֹא יַעֲמֹד כִּי־יַחְשְׁבוּ עָלָיו מַחֲשָׁבוֹת׃

26 וְאֹכְלֵי פַת־בָּגוֹ יִשְׁבְּרוּהוּ וְחֵילוֹ יִשְׁטוֹף וְנָפְלוּ חֲלָלִים רַבִּים׃

27 וּשְׁנֵיהֶם הַמְּלָכִים לְבָבָם לְמֵרָע וְעַל־שֻׁלְחָן אֶחָד כָּזָב יְדַבֵּרוּ וְלֹא תִצְלָח כִּי־עוֹד קֵץ לַמּוֹעֵד׃

맛싸성경

25 그는 많은 군대로써 그의 힘과 그의 마음을 남쪽 왕을 대항하여 격동시킬 것이며 남쪽의 왕도 많고 매우 강력한 군대로 전쟁을 위해서 준비할 것이다. 그러나 그는 (일어)서지 못할 것이니 이는 그들이 그에 대하여 계획들을 생각할 것이기 때문이라. 26 (그의) 할당 양식을 먹는 자들이 그를 칠 것이며 그의 군대는 쓸려나갈 것이다. 그리고 많은 (군인)이 살해되어 쓰러질 것이다. 27 이들 두 왕들은 그(들의) 마음을 악한 것에 두고 그들은 하나의 식탁에서 거짓을 말할 것이나 형통하지 않을 것이라. 이는 그 끝이 정한 때에 있을 것임이라.

NET

25 He will rouse his strength and enthusiasm against the king of the south with a large army. The king of the south will wage war with a large and very powerful army, but he will not be able to prevail because of the plans devised against him. 26 Those who share the king's fine food will attempt to destroy him, and his army will be swept away; many will be killed in battle. 27 These two kings, their minds filled with evil intentions, will trade lies with one another at the same table. But it will not succeed, for there is still an end at the appointed time.

11 WLC

28 וְיָשֹׁב אַרְצוֹ בִּרְכוּשׁ גָּדוֹל וּלְבָבוֹ עַל־בְּרִית קֹדֶשׁ וְעָשָׂה וְשָׁב לְאַרְצוֹ׃

29 לַמּוֹעֵד יָשׁוּב וּבָא בַנֶּגֶב וְלֹא־תִהְיֶה כָרִאשֹׁנָה וְכָאַחֲרֹנָה׃

30 וּבָאוּ בוֹ צִיִּים כִּתִּים וְנִכְאָה וְשָׁב וְזָעַם עַל־בְּרִית־קוֹדֶשׁ וְעָשָׂה וְשָׁב וְיָבֵן עַל־עֹזְבֵי בְּרִית קֹדֶשׁ׃

31 וּזְרֹעִים מִמֶּנּוּ יַעֲמֹדוּ וְחִלְּלוּ הַמִּקְדָּשׁ הַמָּעוֹז וְהֵסִירוּ הַתָּמִיד וְנָתְנוּ הַשִּׁקּוּץ מְשׁוֹמֵם׃

32 וּמַרְשִׁיעֵי בְּרִית יַחֲנִיף בַּחֲלַקּוֹת וְעַם יֹדְעֵי אֱלֹהָיו יַחֲזִקוּ וְעָשׂוּ׃

맛싸성경

28 그(북방 왕)는 많은 소유물을 가지고 자기 땅으로 돌아갈 것이나 그의 마음은 거룩한 언약을 대항할 것이다. 그는 (자기 뜻대로) 행하다가 자기 땅으로 돌아갈 것이다. 29 정한 때 그는 남쪽으로 다시 돌아와 (공격해) 들어갈 것이나 그것은 처음 것과 그 후의 것이 같지 않을 것이라. 30 또 깃딤의 배들이 그에게 (쳐들어) 올 것이니 그는 낙심하여 또 돌아갈 것이다. 또 그는 거룩한 언약에 대하여 분노하고 또 (반대하여) 행할 것이며 또 그는 돌아가며 또 그는 거룩한 언약을 버리는 자들에 대하여 관심을 가질 것이다. 31 군대가 그의 편에 (일어)설 것이다. 그들은 요새의 성소를 더럽힐 것이고 항상 드리는 제물을 제거할 것이며 멸망케하는 혐오스러운 것을 놓을(세울) 것이라. 32 (그가) 언약에 (대해) 사악을 행하는 자들을 아첨하는 말로 모독할 것이다. 그러나 그의 하나님을 아는 백성들은 강해질 것이며 (또 강하게) 행할 것이라.

NET

28 Then the king of the north will return to his own land with much property. His mind will be set against the holy covenant. He will take action, and then return to his own land. 29 At an appointed time he will again invade the south, but this latter visit will not turn out the way the former one did. 30 The ships of Kittim will come against him, leaving him disheartened. He will turn back and direct his indignation against the holy covenant. He will return and honor those who forsake the holy covenant. 31 His forces will rise up and profane the fortified sanctuary, stopping the daily sacrifice. In its place they will set up the abomination that causes desolation. 32 Then with smooth words he will defile those who have rejected the covenant. But the people who are loyal to their God will act valiantly.

11 WLC

33 וּמַשְׂכִּילֵי עָם יָבִינוּ לָרַבִּים וְנִכְשְׁלוּ בְּחֶרֶב וּבְלֶהָבָה בִּשְׁבִי וּבְבִזָּה יָמִים׃

34 וּבְהִכָּשְׁלָם יֵעָזְרוּ עֵזֶר מְעָט וְנִלְווּ עֲלֵיהֶם רַבִּים בַּחֲלַקְלַקּוֹת׃

35 וּמִן־הַמַּשְׂכִּילִים יִכָּשְׁלוּ לִצְרוֹף בָּהֶם וּלְבָרֵר וְלַלְבֵּן עַד־עֵת קֵץ כִּי־עוֹד לַמּוֹעֵד׃

36 וְעָשָׂה כִרְצוֹנוֹ הַמֶּלֶךְ וְיִתְרוֹמֵם וְיִתְגַּדֵּל עַל־כָּל־אֵל וְעַל אֵל אֵלִים יְדַבֵּר נִפְלָאוֹת וְהִצְלִיחַ עַד־כָּלָה זַעַם כִּי נֶחֱרָצָה נֶעֱשָׂתָה׃

맛싸성경

33 백성의 통찰력이 있는 자들은 많은 사람들을 깨닫게 할 것이나 여러 날들 (동안) 그들은 칼과 불과 포로와 약탈물로 넘어질 것이다. 34 그들이 넘어질 때 그들은 약간의 도움을 받게 될 것이다. 그러나 많은 사람들이 그들에게 계략으로 합류할 것이며 35 통찰력이 있는 자들 중에서 (몇몇)이 넘어질 것이고 그들을 연단하고 체질(정결하게)하며 정하게 하기를 마지막 때까지 할 것이라. 이는 아직 정한 때가 있음이라. 36 그 왕은 자기 뜻대로 행할 것이고 자신을 높이며 모든 신보다 위대하게 하고 신들의 하나님을 대항하여 놀라운 일들을 말할 것이다. 진노가 끝날 때까지 형통할 것이니 이는 정해진 일이 행해져야 하기 때문이다.

NET

33 These who are wise among the people will teach the masses. However, they will fall by the sword and by the flame, and they will be imprisoned and plundered for some time. 34 When they stumble, they will be granted some help. But many will unite with them deceitfully. 35 Even some of the wise will stumble, resulting in their refinement, purification, and cleansing until the time of the end, for it is still for the appointed time. 36 "Then the king will do as he pleases. He will exalt and magnify himself above every deity, and he will utter presumptuous things against the God of gods. He will succeed until the time of wrath is completed, for what has been decreed must occur.

11 WLC

37 וְעַל־אֱלֹהֵי אֲבֹתָיו לֹא יָבִין וְעַל־חֶמְדַּת נָשִׁים וְעַל־כָּל־אֱלוֹהַּ לֹא יָבִין כִּי עַל־כֹּל יִתְגַּדָּל׃

38 וְלֶאֱלֹהַּ מָעֻזִּים עַל־כַּנּוֹ יְכַבֵּד וְלֶאֱלוֹהַּ אֲשֶׁר לֹא־יְדָעֻהוּ אֲבֹתָיו יְכַבֵּד בְּזָהָב וּבְכֶסֶף וּבְאֶבֶן יְקָרָה וּבַחֲמֻדוֹת׃

39 וְעָשָׂה לְמִבְצְרֵי מָעֻזִּים עִם־אֱלוֹהַּ נֵכָר אֲשֶׁר [הִכִּיר כ] (יַכִּיר ק) יַרְבֶּה כָבוֹד וְהִמְשִׁילָם בָּרַבִּים וַאֲדָמָה יְחַלֵּק בִּמְחִיר׃

맛싸성경

37 그는 그의 아버지(조상)들의 신들에 대해서 깨닫지 못하고 여자들의 바라는 것과 그 모든 신들에 관해서도 깨닫지 못할 것이다. 이는 그가 이 모든 것들 보다 자신을 위대하게 하였기 때문이다. 38 그러나 그는 그 자리에서 요새들의 신들을 존중할 것이다. 그는 그의 아버지(조상)들이 알지 못하는 신을 금과 은과 보석과 소중한 선물로 존중할 것이다. 39 그는 요새들의 강한 도시들에 대하여 이방 신들과 함께 행할 것이니 그는 자기를 인식하는 자에게 존경을 더 많게 할 것이다. 그는 그들로 하여금 많은 자들을 통치하게 할 것이고 보상으로 땅을 나누어 줄 것이다.

NET

37 He will not respect the gods of his fathers—not even the god loved by women. He will not respect any god; he will elevate himself above them all. 38 What he will honor is a god of fortresses—a god his fathers did not acknowledge he will honor with gold, silver, valuable stones, and treasured commodities. 39 He will attack mighty fortresses, aided by a foreign deity. To those who recognize him he will grant considerable honor. He will place them in authority over many people, and he will parcel out land for a price.

11

WLC

40 וּבְעֵת קֵץ יִתְנַגַּח עִמּוֹ מֶלֶךְ הַנֶּגֶב וְיִשְׂתָּעֵר עָלָיו מֶלֶךְ הַצָּפוֹן בְּרֶכֶב וּבְפָרָשִׁים וּבָאֳנִיּוֹת רַבּוֹת וּבָא בַאֲרָצוֹת וְשָׁטַף וְעָבָר׃

41 וּבָא בְּאֶרֶץ הַצְּבִי וְרַבּוֹת יִכָּשֵׁלוּ וְאֵלֶּה יִמָּלְטוּ מִיָּדוֹ אֱדוֹם וּמוֹאָב וְרֵאשִׁית בְּנֵי עַמּוֹן׃

42 וְיִשְׁלַח יָדוֹ בַּאֲרָצוֹת וְאֶרֶץ מִצְרַיִם לֹא תִהְיֶה לִפְלֵיטָה׃

43 וּמָשַׁל בְּמִכְמַנֵּי הַזָּהָב וְהַכֶּסֶף וּבְכֹל חֲמֻדוֹת מִצְרָיִם וְלֻבִים וְכֻשִׁים בְּמִצְעָדָיו׃

44 וּשְׁמֻעוֹת יְבַהֲלֻהוּ מִמִּזְרָח וּמִצָּפוֹן וְיָצָא בְּחֵמָא גְדֹלָה לְהַשְׁמִיד וּלְהַחֲרִים רַבִּים׃

45 וְיִטַּע אָהֳלֵי אַפַּדְנוֹ בֵּין יַמִּים לְהַר־צְבִי־קֹדֶשׁ וּבָא עַד־קִצּוֹ וְאֵין עוֹזֵר לוֹ׃

맛싸성경

40 마지막 때 남쪽의 왕은 그(북쪽의 왕)와 함께 전쟁에 참여할 것이며 북쪽의 왕이 병거와 마병들과 많은 배들로 그에게로 돌격할 것이다. 땅 안으로 (공격해) 들어갈 것이고 그는 쓸어버리며 지나갈 것이다. 41 그가 아름다운 자의 땅으로 (공격해) 들어가니 많은 사람들이 넘어질 것이다. 그러나 에돔과 모압과 암몬 아들(자손)들의 지도자들은 그의 손으로부터 구출받을 것이다. 42 그는 그의 손을 (다른) 나라들로 뻗을 것이니 이집트 땅은 구출함을 얻지 못할 것이다. 43 그는 금과 은의 (숨은) 보물들과 이집트의 소중한 것들을 통치할 것이며 리비아와 이디오피아도 그의 발자국에 있을 것이다. 44 그러나 동쪽과 북쪽에서 (오는) 소문들이 그를 두렵게 할 것이다. 그는 큰 진노를 가지고 나갈 것이니 많은 자들을 파괴하며 전멸할 것이다. 45 그는 그의 궁전 천막을 바다와 거룩한 영광의 산 사이에 펼 것이다. 그러나 그는 그의 끝이 올 것이니 그를 돕는 자가 없을 것이다."

NET

40 "At the time of the end the king of the south will attack him. Then the king of the north will storm against him with chariots, horsemen, and a large armada of ships. He will invade lands, passing through them like an overflowing river. 41 Then he will enter the beautiful land. Many will fall, but these will escape: Edom, Moab, and the Ammonite leadership. 42 He will extend his power against other lands; the land of Egypt will not escape. 43 He will have control over the hidden stores of gold and silver, as well as all the treasures of Egypt. Libyans and Ethiopians will submit to him. 44 But reports will trouble him from the east and north, and he will set out in a tremendous rage to destroy and wipe out many. 45 He will pitch his royal tents between the seas toward the beautiful holy mountain. But he will come to his end, with no one to help him.

12 WLC

1 וּבָעֵת הַהִיא יַעֲמֹד מִיכָאֵל הַשַּׂר הַגָּדוֹל הָעֹמֵד עַל־בְּנֵי עַמֶּךָ וְהָיְתָה עֵת צָרָה אֲשֶׁר לֹא־נִהְיְתָה מִהְיוֹת גּוֹי עַד הָעֵת הַהִיא וּבָעֵת הַהִיא יִמָּלֵט עַמְּךָ כָּל־הַנִּמְצָא כָּתוּב בַּסֵּפֶר׃

2 וְרַבִּים מִיְּשֵׁנֵי אַדְמַת־עָפָר יָקִיצוּ אֵלֶּה לְחַיֵּי עוֹלָם וְאֵלֶּה לַחֲרָפוֹת לְדִרְאוֹן עוֹלָם׃ ס

3 וְהַמַּשְׂכִּלִים יַזְהִרוּ כְּזֹהַר הָרָקִיעַ וּמַצְדִּיקֵי הָרַבִּים כַּכּוֹכָבִים לְעוֹלָם וָעֶד׃ פ

4 וְאַתָּה דָנִיֵּאל סְתֹם הַדְּבָרִים וַחֲתֹם הַסֵּפֶר עַד־עֵת קֵץ יְשֹׁטְטוּ רַבִּים וְתִרְבֶּה הַדָּעַת׃

맛싸성경

1 "그때 네 백성들 아들(자손)들을 위해 위대한 통치자 미가엘이 설 것이며 민족들이 있을(생길) 때부터 그때까지 없었던 고통의 때가 있을 것이다. 그러나 그때 네 백성은 구출될 것이니 이 책에 기록되어 발견된 모든 자들이라. 2 땅의 흙(티끌) 속에서 잠자는 자들 중에 많은 자들이 깨어날 것이니 어떤 자들은 영원한 생명을 위해서 또 어떤 자들은 영원한 수치와 혐오감을 위해서라. 3 통찰력 있는 자는 궁창의 빛같이 빛날 것이며 많은 자들을 의로운 자들로 (인도한 자는) 영원 무궁토록 별들같이 될 것이다. 4 그러나 너 다니엘아, 마지막 때까지 그 말씀들을 (비밀로) 간직하고 그 책을 봉하라. 많은 사람들이 이리저리로 갈 것이며 지식이 많아질 것이다."

NET

1 "At that time Michael, the great prince who watches over your people, will arise. There will be a time of distress unlike any other from the nation's beginning up to that time. But at that time your own people, all those whose names are found written in the book, will escape. 2 Many of those who sleep in the dusty ground will awake—some to everlasting life, and others to shame and everlasting abhorrence. 3 But the wise will shine like the brightness of the heavenly expanse. And those bringing many to righteousness will be like the stars forever and ever. 4 "But you, Daniel, close up these words and seal the book until the time of the end. Many will dash about, and knowledge will increase."

12 WLC

5 וְרָאִיתִי אֲנִי דָנִיֵּאל וְהִנֵּה שְׁנַיִם אֲחֵרִים עֹמְדִים אֶחָד הֵנָּה לִשְׂפַת הַיְאֹר וְאֶחָד הֵנָּה לִשְׂפַת הַיְאֹר׃

6 וַיֹּאמֶר לָאִישׁ לְבוּשׁ הַבַּדִּים אֲשֶׁר מִמַּעַל לְמֵימֵי הַיְאֹר עַד־מָתַי קֵץ הַפְּלָאוֹת׃

7 וָאֶשְׁמַע אֶת־הָאִישׁ ׀ לְבוּשׁ הַבַּדִּים אֲשֶׁר מִמַּעַל לְמֵימֵי הַיְאֹר וַיָּרֶם יְמִינוֹ וּשְׂמֹאלוֹ אֶל־הַשָּׁמַיִם וַיִּשָּׁבַע בְּחֵי הָעוֹלָם כִּי לְמוֹעֵד מוֹעֲדִים וָחֵצִי וּכְכַלּוֹת נַפֵּץ יַד־עַם־קֹדֶשׁ תִּכְלֶינָה כָל־אֵלֶּה׃

맛싸성경

5 그때 나 다니엘이 보았으니 보아라, 다른 두 사람이 서 있었다. 한 사람은 강 이쪽 제방에 다른 한 사람은 강 저쪽 제방에 (서 있었다). **6** 그(한 사람이)가 강물 위에 있는 세마포를 입은 사람에게 말했다. "이 놀라운 일들의 마지막은 언제까지입니까?" **7** 나는 강물 위에 있는 세마포를 입은 사람(의 말을) 들었으니 그는 그의 오른손과 그의 왼손을 하늘을 향해서 들었고 그는 영원히 살아계시는 분에게 맹세하였다. "곧 이것은 한 때와 두 때와 반 때이고 거룩한 백성의 손(힘)의 부서짐이 끝날 때 이 모든 일들은 마칠 것이다."

NET

5 I, Daniel, watched as two others stood there, one on each side of the river. **6** One said to the man clothed in linen who was above the waters of the river, "When will the end of these wondrous events occur?" **7** Then I heard the man clothed in linen who was over the waters of the river as he raised both his right and left hands to the sky and made an oath by the one who lives forever: "It is for a time, times, and half a time. Then, when the power of the one who shatters the holy people has been exhausted, all these things will be finished."

12 WLC

8 וַאֲנִי שָׁמַעְתִּי וְלֹא אָבִין וָאֹמְרָה אֲדֹנִי מָה אַחֲרִית אֵלֶּה׃ פ

9 וַיֹּאמֶר לֵךְ דָּנִיֵּאל כִּי־סְתֻמִים וַחֲתֻמִים הַדְּבָרִים עַד־עֵת קֵץ׃

10 יִתְבָּרְרוּ וְיִתְלַבְּנוּ וְיִצָּרְפוּ רַבִּים וְהִרְשִׁיעוּ רְשָׁעִים וְלֹא יָבִינוּ כָּל־רְשָׁעִים וְהַמַּשְׂכִּלִים יָבִינוּ׃

11 וּמֵעֵת הוּסַר הַתָּמִיד וְלָתֵת שִׁקּוּץ שֹׁמֵם יָמִים אֶלֶף מָאתַיִם וְתִשְׁעִים׃

12 אַשְׁרֵי הַמְחַכֶּה וְיַגִּיעַ לְיָמִים אֶלֶף שְׁלֹשׁ מֵאוֹת שְׁלֹשִׁים וַחֲמִשָּׁה׃

13 וְאַתָּה לֵךְ לַקֵּץ וְתָנוּחַ וְתַעֲמֹד לְגֹרָלְךָ לְקֵץ הַיָּמִין׃

맛싸성경

8 내가 친히 들었으나 나는 깨닫지 못했고 그래서 내가 말했다. "내 주님이시여! 이 일들의 결과는 무엇입니까?" **9** 그가 말했다. "다니엘아, (네 길을) 가거라. 이는 말씀들은 마지막 때까지 간직되어 있고 봉하여져 있기 때문이라. **10** 많은 사람들이 가려질 것이고 정결하게 될 것이며 연단될 것이나 사악한 자들은 사악하게 행하고 모든 사악한 자들은 깨닫지 못할 것이다. 그러나 통찰력 있는 자들은 깨달을 것이다. **11** 항상 드리는 제물이 제거되고 황폐하게 하는 혐오스러운 것이 세워질 때부터 1,290 일이 있을 것이라. **12** 복 있는 자는 인내하는 자이고 1,335 일에 이르는 자이다. **13** 그러나 너는 마지막까지 (네 길을) 가거라. 너는 안식할 것이며 마지막 날들에 너의 유업(할당된 곳)에 설 것이라."

NET

8 I heard, but I did not understand. So I said, "Sir, what will happen after these things?" **9** He said, "Go, Daniel. For these matters are closed and sealed until the time of the end. **10** Many will be purified, made clean, and refined, but the wicked will go on being wicked. None of the wicked will understand, though the wise will understand. **11** From the time that the daily sacrifice is removed and the abomination that causes desolation is set in place, there are 1,290 days. **12** Blessed is the one who waits and attains to the 1,335 days. **13** But you should go your way until the end. You will rest, and then at the end of the days you will arise to receive what you have been allotted."

정기구독신청서

20　　년　　월　　일

신청인	이름			생년월일			
	주소						
	전화	자택	(　)　-	출석교회			
		회사	(　)　-	직 분	담임목사 / 목사 / 전도사 / 장로 / 권사 / 집사		
		핸드폰	(　)　-	E-mail	@		
수취인	이름						
	주소						
	전화(자택)			회 사		핸드폰	
신청내용	신청기간		20　년　월 ~ 20　년　월				
	구독기간		□ 1년　□ 2년　□ 3년				
	신청부수		부				
결제방법	카 드		· 카드종류: 국민, 비씨, 신한, 삼성, 롯데, 현대, 농협, 씨티, VISA, Master, JCB				
			· 카드번호:　-　-　-	· 유효기간:　/			
			· 소유주:	· 일시불/할부　개월			
	온라인						
	자동이체		CMS				
메모							

정기구독 문의 및 안내 070-4126-3496

월간 맛사